Le Bourgeois gentilhomme

© Éditions Belin/Éditions Gallimard, 2015 pour l'introduction, les notes et le dossier
pédagogique.
170 bis, boulevard du Montparnasse, 75680 Paris cedex 14

ISBN 978-2-7011-9227-7
ISSN 1958-0541

Le Bourgeois gentilhomme

Comédie-ballet

MOLIÈRE

Dossier par Catherine Moreau
Certifiée de lettres modernes

BELIN ■ GALLIMARD

Sommaire

Arrêt sur l'œuvre

Groupements de textes

Autour de l'œuvre

Fenêtres sur...

Des ouvrages à lire, des mises en scène à voir,
des œuvres d'art à découvrir et des sites Internet
à consulter

Introduction

En 1669, Louis XIV reçoit, avec tout le faste de la cour, Soliman Aga, un envoyé du sultan ottoman. Mais l'ambassadeur turc montre un certain dédain pour la réception organisée en son honneur. Ne pouvant venger cet affront sur le plan militaire, le roi commande à Molière une pièce où les Turcs seraient ridiculisés. Ce sera *Le Bourgeois gentilhomme*. En octobre 1670, une première représentation de la pièce est donnée au château de Chambord. Mais cette comédie-ballet, chef-d'œuvre du genre, réserve quelques surprises : elle met en scène non des Turcs, mais des Français déguisés en Turcs, et tourne en ridicule un bourgeois voulant passer pour un aristocrate ainsi que des nobles désargentés, hypocrites et cyniques. De plus, l'extraordinaire habit de Monsieur Jourdain n'est pas sans rappeler l'incroyable costume de diamants du roi, lors de la visite de Soliman Aga…

Louis XIV décide d'en rire et fait un triomphe à la pièce. Le goût de l'époque pour les « turqueries », la richesse du spectacle mêlant la musique de Lully, le théâtre et la danse et, enfin, le comique débridé de l'œuvre lui assurent le succès auprès du public. Depuis, *Le Bourgeois gentilhomme* n'a cessé d'inspirer les metteurs en scène et de réjouir les spectateurs.

LE BOURGEOIS GENTILHŌME

Pierre Brissart, frontispice d'une édition
du *Bourgeois gentilhomme*, gravure, XVIIe siècle.

Personnages

MONSIEUR JOURDAIN, le Bourgeois.

MADAME JOURDAIN, sa femme.

LUCILE, fille de Monsieur Jourdain.

NICOLE, servante.

CLÉONTE, amoureux de Lucile.

COVIELLE, valet de Cléonte.

DORANTE, comte, amant de Dorimène.

DORIMÈNE, marquise.

MAÎTRE DE MUSIQUE.

ÉLÈVE DU MAÎTRE DE MUSIQUE.

MAÎTRE À DANSER.

MAÎTRE D'ARMES.

MAÎTRE DE PHILOSOPHIE.

MAÎTRE TAILLEUR.

GARÇON TAILLEUR.

DEUX LAQUAIS.

Plusieurs musiciens, musiciennes, joueurs d'instruments, danseurs, cuisiniers, garçons tailleurs, et autres personnages des intermèdes et du ballet.

La scène est à Paris.

L'ouverture[1] se fait par un grand assemblage d'instruments ; et dans le milieu du théâtre on voit un élève du Maître de musique, qui compose sur une table un air que le Bourgeois a demandé pour une sérénade[2].

---

1. **Ouverture** : exposition, début du spectacle.
2. **Sérénade** : concert, chanté ou joué, donné en soirée pour séduire une femme.

ACTE I

Scène 1

MAÎTRE DE MUSIQUE, MAÎTRE À DANSER,
TROIS MUSICIENS, DEUX VIOLONS,
QUATRE DANSEURS

MAÎTRE DE MUSIQUE, *parlant à ses musiciens.* – Venez, entrez dans cette salle, et vous reposez là en attendant qu'il vienne.

MAÎTRE À DANSER, *parlant aux danseurs.* – Et vous aussi, de ce côté.

5 **MAÎTRE DE MUSIQUE,** *à l'élève.* – Est-ce fait ?

L'ÉLÈVE. – Oui.

MAÎTRE DE MUSIQUE. – Voyons… Voilà qui est bien.

MAÎTRE À DANSER. – Est-ce quelque chose de nouveau ?

MAÎTRE DE MUSIQUE. – Oui, c'est un air pour une sérénade, 10 que je lui ai fait composer ici, en attendant que notre homme fût éveillé.

MAÎTRE À DANSER. – Peut-on voir ce que c'est ?

MAÎTRE DE MUSIQUE. – Vous l'allez entendre avec le dialogue, quand il viendra. Il ne tardera guère.

15 **MAÎTRE À DANSER.** – Nos occupations, à vous et à moi, ne sont pas petites maintenant.

MAÎTRE DE MUSIQUE. – Il est vrai. Nous avons trouvé ici un homme comme il nous le faut à tous deux ; ce nous est une douce rente[1] que ce Monsieur Jourdain, avec les visions[2] de 20 noblesse et de galanterie[3] qu'il est allé se mettre en tête ; et votre danse et ma musique auraient à souhaiter que tout le monde lui ressemblât.

MAÎTRE À DANSER. – Non pas entièrement ; et je voudrais pour lui qu'il se connût mieux qu'il ne fait[4] aux choses 25 que nous lui donnons.

MAÎTRE DE MUSIQUE. – Il est vrai qu'il les connaît mal, mais il les paie bien ; et c'est de quoi maintenant nos arts ont plus besoin que de toute autre chose.

MAÎTRE À DANSER. – Pour moi, je vous l'avoue, je me repais[5] 30 un peu de gloire, les applaudissements me touchent ; et je tiens que, dans tous les beaux-arts, c'est un supplice assez fâcheux que de se produire à des sots, que d'essuyer[6] sur des compositions[7] la barbarie d'un stupide[8]. Il y a plaisir, ne m'en parlez point, à travailler pour des personnes qui

---

1. **Douce rente** : revenu financier important.
2. **Visions** : idées folles.
3. **Galanterie** : élégance et bonnes manières.
4. **Qu'il se connût mieux qu'il ne fait** : qu'il ait davantage de connaissances.
5. **Je me repais** : je savoure, je me satisfais.
6. **Essuyer** : se heurter à.
7. **Compositions** : créations artistiques.
8. **Barbarie d'un stupide** : remarques inappropriées d'un ignorant.

35 soient capables de sentir les délicatesses d'un art, qui sachent faire un doux accueil aux beautés d'un ouvrage et par de chatouillantes approbations[1] vous régaler[2] de votre travail. Oui, la récompense la plus agréable qu'on puisse recevoir des choses que l'on fait, c'est de les voir connues, de les

40 voir caressées d'un applaudissement qui vous honore. Il n'y a rien, à mon avis, qui nous paie mieux que cela de toutes nos fatigues ; et ce sont des douceurs exquises que des louanges éclairées[3].

MAÎTRE DE MUSIQUE. – J'en demeure d'accord, et je les

45 goûte comme vous. Il n'y a rien assurément qui chatouille[4] davantage que les applaudissements que vous dites. Mais cet encens[5] ne fait pas vivre ; des louanges toutes pures ne mettent point un homme à son aise[6] : il y faut mêler du solide ; et la meilleure façon de louer, c'est de louer avec

50 les mains[7]. C'est un homme, à la vérité, dont les lumières[8] sont petites, qui parle à tort et à travers de toutes choses, et n'applaudit qu'à contresens ; mais son argent redresse les jugements de son esprit ; il a du discernement dans sa bourse ; ses louanges sont monnayées, et ce bourgeois[9]

55 ignorant nous vaut mieux, comme vous voyez, que le grand seigneur[10] éclairé qui nous a introduits ici.

---

1. **Chatouillantes approbations** : compliments agréables à entendre.
2. **Régaler** : récompenser.
3. **Louanges éclairées** : compliments formulés par une personne cultivée.
4. **Chatouille** : flatte l'orgueil.
5. **Encens** : ici, louanges, flatteries.
6. **Ne mettent point un homme à son aise** : ne permettent pas de vivre confortablement.
7. **Avec les mains** : en offrant de l'argent.
8. **Lumières** : connaissances, capacités intellectuelles.
9. **Bourgeois** : homme de la ville, qui n'est pas noble mais qui possède des biens.
10. **Grand seigneur** : noble.

Maître à danser. – Il y a quelque chose de vrai dans ce que vous dites ; mais je trouve que vous appuyez[1] un peu trop sur l'argent ; et l'intérêt[2] est quelque chose de si bas qu'il ne faut jamais qu'un honnête homme[3] montre pour lui de l'attachement.

Maître de musique. – Vous recevez fort bien pourtant l'argent que notre homme vous donne.

Maître à danser. – Assurément ; mais je n'en fais pas tout mon bonheur, et je voudrais qu'avec son bien[4] il eût encore quelque bon goût des choses.

Maître de musique. – Je le voudrais aussi, et c'est à quoi nous travaillons tous deux autant que nous pouvons. Mais, en tout cas, il nous donne moyen de nous faire connaître dans le monde[5] ; et il paiera pour les autres ce que les autres loueront pour lui.

Maître à danser. – Le voilà qui vient.

---

1. **Appuyez** : insistez.
2. **Intérêt** : ici, recherche excessive de l'argent.
3. **Honnête homme** : au XVIIe siècle, idéal de l'homme cultivé et courtois.
4. **Bien** : argent.
5. **Monde** : haute société.

Scène 2

MONSIEUR JOURDAIN, DEUX LAQUAIS,
MAÎTRE DE MUSIQUE, MAÎTRE À DANSER,
VIOLONS, MUSICIENS ET DANSEURS

MONSIEUR JOURDAIN. – Hé bien, Messieurs, qu'est-ce? me ferez-vous voir votre petite drôlerie[1]?

MAÎTRE À DANSER. – Comment! quelle petite drôlerie?

MONSIEUR JOURDAIN. – Eh la… comment appelez-vous cela?
5 Votre prologue[2] ou dialogue de chansons et de danse.

MAÎTRE À DANSER. – Ah! ah!

MAÎTRE DE MUSIQUE. – Vous nous y voyez préparés.

MONSIEUR JOURDAIN. – Je vous ai fait un peu attendre, mais c'est que je me fais habiller aujourd'hui comme les gens
10 de qualité[3], et mon tailleur m'a envoyé des bas de soie que j'ai pensé ne mettre jamais[4].

MAÎTRE DE MUSIQUE. – Nous ne sommes ici que pour attendre votre loisir[5].

MONSIEUR JOURDAIN. – Je vous prie tous deux de ne vous
15 point en aller qu'on ne m'ait[6] apporté mon habit, afin que vous me puissiez voir.

---

1. Drôlerie: bouffonnerie.
2. Prologue: première partie d'un spectacle.
3. Gens de qualité: nobles de naissance.
4. Que j'ai pensé ne mettre jamais: que j'ai cru ne jamais pouvoir enfiler.
5. Loisir: le moment où vous serez disponible.
6. Qu'on ne m'ait: avant qu'on ne m'ait.

MAÎTRE À DANSER. – Tout ce qu'il vous plaira.

MONSIEUR JOURDAIN. – Vous me verrez équipé comme il faut, depuis les pieds jusqu'à la tête.

20 **MAÎTRE DE MUSIQUE.** – Nous n'en doutons point.

MONSIEUR JOURDAIN. – Je me suis fait faire cette indienne[1]-ci.

MAÎTRE À DANSER. – Elle est fort belle.

MONSIEUR JOURDAIN. – Mon tailleur m'a dit que les gens de qualité étaient comme cela le matin.

25 **MAÎTRE DE MUSIQUE.** – Cela vous sied[2] à merveille.

MONSIEUR JOURDAIN. – Laquais[3] ! holà, mes deux laquais !

PREMIER LAQUAIS. – Que voulez-vous, Monsieur ?

MONSIEUR JOURDAIN. – Rien. C'est pour voir si vous m'entendez bien. *(Aux deux Maîtres.)* Que dites-vous de mes livrées[4] ?

30 **MAÎTRE À DANSER.** – Elles sont magnifiques.

MONSIEUR JOURDAIN. – *(Il entrouvre sa robe et fait voir un haut-de-chausses[5] étroit de velours rouge, et une camisole[6] de velours vert, dont il est vêtu.)* Voici encore un petit déshabillé[7] pour faire le matin mes exercices.

35 **MAÎTRE DE MUSIQUE.** – Il est galant[8].

---

1. **Indienne** : robe de chambre taillée dans un tissu oriental.
2. **Cela vous sied** : cela vous va.
3. **Laquais** : serviteurs.
4. **Livrées** : uniformes que portent les domestiques d'une même maison.
5. **Haut-de-chausses** : pantalon court porté par les hommes au XVIIᵉ siècle.
6. **Camisole** : chemise.
7. **Déshabillé** : tenue qu'on porte chez soi.
8. **Galant** : ici, élégant.

MONSIEUR JOURDAIN. – Laquais !

PREMIER LAQUAIS. – Monsieur.

MONSIEUR JOURDAIN. – L'autre laquais !

SECOND LAQUAIS. – Monsieur.

40 **MONSIEUR JOURDAIN.** – Tenez ma robe[1]. Me trouvez-vous bien comme cela ?

MAÎTRE À DANSER. – Fort bien. On ne peut pas mieux.

MONSIEUR JOURDAIN. – Voyons un peu votre affaire.

MAÎTRE DE MUSIQUE. – Je voudrais bien auparavant vous faire
45 entendre un air qu'il vient de composer pour la sérénade que vous m'avez demandée. C'est un de mes écoliers[2], qui a pour ces sortes de choses un talent admirable.

MONSIEUR JOURDAIN. – Oui ; mais il ne fallait pas faire faire cela par un écolier, et vous n'étiez pas trop bon vous-même
50 pour cette besogne-là.

MAÎTRE DE MUSIQUE. – Il ne faut pas, Monsieur, que le nom d'écolier vous abuse[3]. Ces sortes d'écoliers en savent autant que les plus grands maîtres, et l'air est aussi beau qu'il s'en puisse faire. Écoutez seulement.

55 **MONSIEUR JOURDAIN.** – Donnez-moi ma robe pour mieux entendre… Attendez, je crois que je serai mieux sans robe… Non ; redonnez-la-moi, cela ira mieux.

---

1. Robe : robe de chambre.
2. Écoliers : étudiants.
3. Abuse : mette dans l'erreur.

MUSICIEN, *chantant*
> *Je languis*[1] *nuit et jour, et mon mal est extrême,*
> *Depuis qu'à vos rigueurs*[2] *vos beaux yeux m'ont soumis :*
60 > *Si vous traitez ainsi, belle Iris, qui vous aime,*
> *Hélas ! que pourriez-vous faire à vos ennemis ?*

MONSIEUR JOURDAIN. – Cette chanson me semble un peu lugubre[3], elle endort, et je voudrais que vous la pussiez un peu ragaillardir[4] par-ci, par-là.

65 **MAÎTRE DE MUSIQUE.** – Il faut, Monsieur, que l'air soit accommodé aux[5] paroles.

MONSIEUR JOURDAIN. – On m'en apprit un tout à fait joli, il y a quelque temps. Attendez… Là… comment est-ce qu'il dit ?

MAÎTRE À DANSER. – Par ma foi ! je ne sais.

70 **MONSIEUR JOURDAIN.** – Il y a du mouton dedans[6].

MAÎTRE À DANSER. – Du mouton ?

MONSIEUR JOURDAIN. – Oui. Ah !

> *(Monsieur Jourdain chante.)*

---

1. **Je languis** : je souffre.
2. **Rigueurs** : attitude insensible ou indifférente d'une femme envers un homme.
3. **Lugubre** : triste.
4. **Ragaillardir** : rendre plus gaie.
5. **Accommodé aux** : en harmonie avec.
6. **Il y a du mouton dedans** : il y est question de mouton.

Je croyais Janneton
Aussi douce que belle,
75 *Je croyais Janneton*
Plus douce qu'un mouton :
Hélas ! hélas ! Elle est cent fois,
Mille fois plus cruelle,
Que n'est le tigre aux bois.

80 N'est-il pas joli ?

MAÎTRE DE MUSIQUE. – Le plus joli du monde.

MAÎTRE À DANSER. – Et vous le chantez bien.

MONSIEUR JOURDAIN. – C'est sans avoir appris la musique.

MAÎTRE DE MUSIQUE. – Vous devriez l'apprendre, Monsieur,
85 comme vous faites la danse. Ce sont deux arts qui ont une
étroite liaison ensemble.

MAÎTRE À DANSER. – Et qui ouvrent l'esprit d'un homme
aux belles choses.

MONSIEUR JOURDAIN. – Est-ce que les gens de qualité apprennent
90 aussi la musique ?

MAÎTRE DE MUSIQUE. – Oui, Monsieur.

MONSIEUR JOURDAIN. – Je l'apprendrai donc. Mais je ne
sais quel temps je pourrai prendre ; car, outre le Maître
d'armes[1] qui me montre[2], j'ai arrêté[3] encore un Maître de
95 philosophie[4], qui doit commencer ce matin.

---

1. Maître d'armes : professeur d'escrime.
2. Me montre : m'instruit.
3. J'ai arrêté : j'ai engagé.
4. Philosophie : discipline visant à réfléchir sur les comportements humains afin
d'acquérir la sagesse.

Maître de musique. – La philosophie est quelque chose ; mais la musique, Monsieur, la musique…

Maître à danser. – La musique et la danse… La musique et la danse, c'est là tout ce qu'il faut.

100 **Maître de musique.** – Il n'y a rien qui soit si utile dans un État que la musique.

Maître à danser. – Il n'y a rien qui soit si nécessaire aux hommes que la danse.

Maître de musique. – Sans la musique, un État ne peut 105 subsister.

Maître à danser. – Sans la danse, un homme ne saurait rien faire.

Maître de musique. – Tous les désordres, toutes les guerres qu'on voit dans le monde, n'arrivent que pour n'apprendre 110 pas[1] la musique.

Maître à danser. – Tous les malheurs des hommes, tous les revers funestes[2] dont les histoires sont remplies, les bévues[3] des politiques et les manquements[4] des grands capitaines, tout cela n'est venu que faute de savoir danser.

115 **Monsieur Jourdain.** – Comment cela ?

Maître de musique. – La guerre ne vient-elle pas d'un manque d'union entre les hommes ?

Monsieur Jourdain. – Cela est vrai.

───────────────

1. **Pour n'apprendre pas** : parce qu'on n'apprend pas.
2. **Revers funestes** : événements malheureux.
3. **Bévues** : erreurs.
4. **Manquements** : fautes.

Maître de musique. – Et si tous les hommes apprenaient la
musique, ne serait-ce pas le moyen de s'accorder ensemble,
et de voir dans le monde la paix universelle ?

Monsieur Jourdain. – Vous avez raison.

Maître à danser. – Lorsqu'un homme a commis un man-
quement dans sa conduite, soit aux affaires de sa famille, ou
au gouvernement d'un État, ou au commandement d'une
armée, ne dit-on pas toujours : « Un tel a fait un mauvais
pas dans une telle affaire » ?

Monsieur Jourdain. – Oui, on dit cela.

Maître à danser. – Et faire un mauvais pas peut-il procéder
d'autre chose que de ne savoir pas danser ?

Monsieur Jourdain. – Cela est vrai, vous avez raison tous
deux.

Maître à danser. – C'est pour vous faire voir l'excellence
et l'utilité de la danse et de la musique.

Monsieur Jourdain. – Je comprends cela à cette heure.

Maître de musique. – Voulez-vous voir nos deux affaires[1] ?

Monsieur Jourdain. – Oui.

Maître de musique. – Je vous l'ai déjà dit, c'est un petit
essai[2] que j'ai fait autrefois des diverses passions[3] que peut
exprimer la musique.

Monsieur Jourdain. – Fort bien.

---

1. **Affaires** : ici, créations.
2. **Essai** : œuvre.
3. **Passions** : émotions, sentiments.

Maître de musique, *aux Musiciens.* – Allons, avancez. *(À Monsieur Jourdain:)* Il faut vous figurer[1] qu'ils sont habillés en bergers.

145 **Monsieur Jourdain.** – Pourquoi toujours des bergers? On ne voit que cela partout[2].

Maître à danser. – Lorsqu'on a des personnes à faire parler en musique, il faut bien que, pour la vraisemblance[3], on donne dans la bergerie. Le chant a été de tout temps affecté aux bergers; et il n'est guère naturel en dialogue que des 150 princes ou des bourgeois chantent leurs passions.

Monsieur Jourdain. – Passe, passe. Voyons.

DIALOGUE
en musique

Une musicienne et deux musiciens
Un cœur, dans l'amoureux empire[4],
De mille soins[5] est toujours agité :
On dit qu'avec plaisir on languit, on soupire;
155 *Mais, quoi qu'on puisse dire,*
Il n'est rien de si doux que notre liberté.

---

1. Figurer : imaginer.
2. La pastorale, qui met en scène des bergers et bergères dans un cadre champêtre idéalisé, est un spectacle très apprécié au xviie siècle.
3. La vraisemblance est une des règles du théâtre classique du xviie siècle.
4. Dans l'amoureux empire : lorsqu'il est dominé par l'amour.
5. Soins : inquiétudes.

PREMIER MUSICIEN

Il n'est rien de si doux que les tendres ardeurs[1]
Qui font vivre deux cœurs
Dans une même envie.
On ne peut être heureux sans amoureux désirs:
Ôtez l'amour de la vie,
Vous en ôtez les plaisirs.

SECOND MUSICIEN

Il serait doux d'entrer sous l'amoureuse loi[2],
Si l'on trouvait en amour de la foi[3] ;
Mais, hélas! ô rigueur cruelle!
On ne voit point de bergère fidèle;
Et ce sexe[4] *inconstant, trop indigne du jour,*
Doit faire pour jamais renoncer à l'amour.

PREMIER MUSICIEN

Aimable ardeur!

MUSICIENNE

Franchise[5] *heureuse!*

SECOND MUSICIEN

Sexe trompeur!

PREMIER MUSICIEN

Que tu m'es précieuse!

MUSICIENNE

Que tu plais à mon cœur!

---

1. **Ardeurs**: élans de la passion amoureuse.
2. **Amoureuse loi**: loi de l'amour.
3. **Foi**: fidélité.
4. **Ce sexe**: les femmes.
5. **Franchise**: ici, liberté.

SECOND MUSICIEN
Que tu me fais d'horreur !

PREMIER MUSICIEN
175 *Ah ! quitte pour aimer cette haine mortelle.*

MUSICIENNE
On peut, on peut te montrer
Une bergère fidèle.

SECOND MUSICIEN
Hélas ! où la rencontrer ?

MUSICIENNE
Pour défendre notre gloire[1],
180 *Je te veux offrir mon cœur.*

SECOND MUSICIEN
Mais, Bergère, puis-je croire
Qu'il ne sera point trompeur ?

MUSICIENNE
Voyons par expérience
Qui des deux aimera mieux.

SECOND MUSICIEN
185 *Qui manquera de constance[2],*
Le puissent perdre les Dieux !

TOUS TROIS
À des ardeurs si belles
Laissons-nous enflammer :

1. **Gloire** : ici, réputation.
2. **Constance** : loyauté, fidélité.

> *Ah ! qu'il est doux d'aimer,*
> *Quand deux cœurs sont fidèles !*

190

MONSIEUR JOURDAIN. – Est-ce tout ?

MAÎTRE DE MUSIQUE. – Oui.

MONSIEUR JOURDAIN. – Je trouve cela bien troussé[1], et il y a là-dedans de petits dictons assez jolis.

195 **MAÎTRE À DANSER.** – Voici, pour mon affaire, un petit essai des plus beaux mouvements et des plus belles attitudes dont une danse puisse être variée.

MONSIEUR JOURDAIN. – Sont-ce encore des bergers ?

MAÎTRE À DANSER. – C'est ce qu'il vous plaira. Allons.

> *Quatre danseurs exécutent tous les mouvements*
> *différents et toutes les sortes de pas que le Maître*
> *à danser leur commande ; et cette danse fait*
> *le premier intermède[2].*

---

1. Bien troussé : bien tourné.
2. Intermède : divertissement dansé ou chanté qui intervient entre les actes d'une pièce de théâtre.

Émile Bayard, illustration pour une édition
du *Bourgeois gentilhomme*, gravure, 1879.

ACTE II

Scène 1

MONSIEUR JOURDAIN, MAÎTRE DE MUSIQUE,
MAÎTRE À DANSER, LAQUAIS

MONSIEUR JOURDAIN. – Voilà qui n'est point sot, et ces gens-là se trémoussent[1] bien.

MAÎTRE DE MUSIQUE. – Lorsque la danse sera mêlée avec la musique, cela fera plus d'effet encore, et vous verrez quelque chose de galant[2] dans le petit ballet que nous avons ajusté pour vous.

MONSIEUR JOURDAIN. – C'est pour tantôt[3] au moins; et la personne pour qui j'ai fait faire tout cela me doit faire l'honneur de venir dîner céans[4].

MAÎTRE À DANSER. – Tout est prêt.

---

1. **Se trémoussent**: gigotent.
2. **Galant**: ici, agréable, charmant.
3. **Tantôt**: bientôt.
4. **Céans**: ici.

MAÎTRE DE MUSIQUE. – Au reste, Monsieur, ce n'est pas assez : il faut qu'une personne comme vous, qui êtes magnifique[1] et qui avez de l'inclination[2] pour les belles choses, ait un concert de musique chez soi tous les mercredis ou tous les jeudis.

MONSIEUR JOURDAIN. – Est-ce que les gens de qualité en ont ?

MAÎTRE DE MUSIQUE. – Oui, Monsieur.

MONSIEUR JOURDAIN. – J'en aurai donc. Cela sera-t-il beau ?

MAÎTRE DE MUSIQUE. – Sans doute. Il vous faudra trois voix : un dessus, une haute-contre, et une basse[3], qui seront accompagnées d'une basse de viole[4], d'un théorbe[5], et d'un clavecin[6] pour les basses continues, avec deux dessus de violon[7] pour jouer les ritournelles[8].

MONSIEUR JOURDAIN. – Il y faudra mettre aussi une trompette marine[9]. La trompette marine est un instrument qui me plaît, et qui est harmonieux.

MAÎTRE DE MUSIQUE. – Laissez-nous gouverner les choses.

MONSIEUR JOURDAIN. – Au moins n'oubliez pas tantôt de m'envoyer des musiciens, pour chanter à table.

---

1. **Qui êtes magnifique** : ici, qui faites de généreuses dépenses.
2. **Inclination** : goût.
3. **Dessus, haute-contre, basse** : registres de voix masculines, de la plus aiguë à la plus grave.
4. **Viole** : ancêtre du violoncelle.
5. **Théorbe** : instrument de musique à cordes, de la famille du luth.
6. **Clavecin** : ancêtre du piano.
7. **Dessus de violon** : violons jouant la mélodie.
8. **Ritournelles** : refrains musicaux.
9. **Trompette marine** : grand instrument de musique muni d'une seule corde dont le timbre rappelle celui de la trompette.

30 **MAÎTRE DE MUSIQUE.** – Vous aurez tout ce qu'il vous faut.

MONSIEUR JOURDAIN. – Mais surtout, que le ballet soit beau.

MAÎTRE DE MUSIQUE. – Vous en serez content, et, entre autres choses, de certains menuets[1] que vous y verrez.

MONSIEUR JOURDAIN. – Ah ! les menuets sont ma danse, et
35 je veux que vous me les voyiez danser. Allons, mon maître.

MAÎTRE À DANSER. – Un chapeau, Monsieur, s'il vous plaît. La, la, la ; La, la, la, la, la, la ; La, la, la, *bis* ; La, la, la ; La, la. En cadence, s'il vous plaît. La, la, la, la. La jambe droite. La, la, la. Ne remuez point tant les épaules. La, la, la, la, la ;
40 La, la, la, la, la. Vos deux bras sont estropiés[2]. La, la, la, la, la. Haussez la tête. Tournez la pointe du pied en dehors. La, la, la. Dressez votre corps.

MONSIEUR JOURDAIN. – Euh ?

MAÎTRE DE MUSIQUE. – Voilà qui est le mieux du monde.

45 **MONSIEUR JOURDAIN.** – À propos. Apprenez-moi comme il faut faire une révérence[3] pour saluer une marquise : j'en aurai besoin tantôt.

MAÎTRE À DANSER. – Une révérence pour saluer une marquise ?

MONSIEUR JOURDAIN. – Oui : une marquise qui s'appelle
50 Dorimène.

MAÎTRE À DANSER. – Donnez-moi la main.

---

1. Menuets : danses à la mode à la cour, au XVIIe siècle.
2. Estropiés : ici, malhabiles.
3. Révérence : salut respectueux qu'on effectue en s'inclinant très bas.

MONSIEUR JOURDAIN. – Non. Vous n'avez qu'à faire, je le retiendrai bien.

MAÎTRE À DANSER. – Si vous voulez la saluer avec beaucoup
55 de respect, il faut faire d'abord une révérence en arrière, puis marcher vers elle avec trois révérences en avant, et à la dernière vous baisser jusqu'à ses genoux.

MONSIEUR JOURDAIN. – Faites un peu. Bon.

PREMIER LAQUAIS. – Monsieur, voilà votre maître d'armes
60 qui est là.

MONSIEUR JOURDAIN. – Dis-lui qu'il entre ici pour me donner leçon. Je veux que vous me voyiez faire.

Scène 2

MONSIEUR JOURDAIN, MAÎTRE DE MUSIQUE,
MAÎTRE À DANSER, MAÎTRE D'ARMES, DEUX LAQUAIS

MAÎTRE D'ARMES, *après lui avoir mis le fleuret*[1] *à la main.* – Allons, Monsieur, la révérence. Votre corps droit. Un peu penché sur la cuisse gauche. Les jambes point tant écartées. Vos pieds sur une même ligne. Votre poignet à l'opposite[2] de
5 votre hanche. La pointe de votre épée vis-à-vis[3] de votre

---

1. Fleuret : épée d'entraînement.
2. À l'opposite : en face.
3. Vis-à-vis : à la hauteur de.

épaule. Le bras pas tout à fait si étendu. La main gauche à la hauteur de l'œil. L'épaule gauche plus quartée. La tête droite. Le regard assuré. Avancez. Le corps ferme. Touchez-moi l'épée de quarte[1], et achevez[2] de même. Une, deux. Remettez-vous. Redoublez[3] de pied ferme[4]. Un saut en arrière. Quand vous portez la botte[5], Monsieur, il faut que l'épée parte la première, et que le corps soit bien effacé[6]. Une, deux. Allons, touchez-moi l'épée de tierce, et achevez de même. Avancez. Le corps ferme. Avancez. Partez de là. Une, deux. Remettez-vous. Redoublez. Un saut en arrière. En garde, Monsieur, en garde.

Le Maître d'armes lui pousse deux ou trois bottes, en lui disant: «En garde. »

Monsieur Jourdain. – Euh ?

Maître de musique. – Vous faites des merveilles.

Maître d'armes. – Je vous l'ai déjà dit, tout le secret des armes ne consiste qu'en deux choses, à donner, et à ne point recevoir ; et comme je vous fis voir l'autre jour par raison démonstrative[7], il est impossible que vous receviez, si vous savez détourner l'épée de votre ennemi de la ligne de votre corps : ce qui ne dépend seulement que d'un petit mouvement du poignet ou en dedans, ou en dehors.

---

1. En escrime, la quarte et la tierce sont des techniques pour éviter un coup d'épée.
2. Achevez : finissez.
3. Redoublez : répétez le mouvement.
4. De pied ferme : sans vous déplacer.
5. Botte : en escrime, attaque vive et imprévue.
6. Effacé : ici, de profil.
7. Par raison démonstrative : en vous le démontrant à l'aide d'arguments.

Monsieur Jourdain. – De cette façon donc, un homme, sans avoir du cœur[1], est sûr de tuer son homme, et de n'être point tué?

Maître d'armes. – Sans doute. N'en vîtes-vous pas la démons-
30 tration?

Monsieur Jourdain. – Oui.

Maître d'armes. – Et c'est en quoi l'on voit de quelle consi-dération, nous autres, nous devons être[2] dans un État, et combien la science des armes l'emporte hautement sur toutes
35 les autres sciences inutiles, comme la danse, la musique, la…

Maître à danser. – Tout beau[3], Monsieur le tireur d'armes: ne parlez de la danse qu'avec respect.

Maître de musique. – Apprenez, je vous prie, à mieux traiter l'excellence de la musique.

40 **Maître d'armes.** – Vous êtes de plaisantes[4] gens, de vouloir comparer vos sciences à la mienne!

Maître de musique. – Voyez un peu l'homme d'importance!

Maître à danser. – Voilà un plaisant animal[5], avec son plastron[6]!

45 **Maître d'armes.** – Mon petit maître à danser, je vous ferais danser comme il faut. Et vous, mon petit musicien, je vous ferais chanter de la belle manière.

---

1. Cœur: courage.
2. De quelle considération […] nous devons être: quelle estime on doit avoir pour nous.
3. Tout beau: doucement.
4. Plaisantes: risibles, ridicules.
5. Animal: énergumène (sens figuré et péjoratif).
6. Plastron: pièce de cuir rembourrée qui protège la poitrine de l'escrimeur.

MAÎTRE À DANSER. – Monsieur le batteur de fer[1], je vous apprendrai votre métier.

MONSIEUR JOURDAIN, *au Maître à danser.* – Êtes-vous fou de l'aller quereller[2], lui qui entend[3] la tierce et la quarte, et qui sait tuer un homme par raison démonstrative ?

MAÎTRE À DANSER. – Je me moque de sa raison démonstrative, et de sa tierce et de sa quarte.

MONSIEUR JOURDAIN. – Tout doux, vous dis-je.

MAÎTRE D'ARMES. – Comment ? petit impertinent.

MONSIEUR JOURDAIN. – Eh ! mon Maître d'armes.

MAÎTRE À DANSER. – Comment ? grand cheval de carrosse[4].

MONSIEUR JOURDAIN. – Eh ! mon Maître à danser.

MAÎTRE D'ARMES. – Si je me jette sur vous…

MONSIEUR JOURDAIN. – Doucement.

MAÎTRE À DANSER. – Si je mets sur vous la main…

MONSIEUR JOURDAIN. – Tout beau.

MAÎTRE D'ARMES. – Je vous étrillerai[5] d'un air…

MONSIEUR JOURDAIN. – De grâce !

MAÎTRE À DANSER. – Je vous rosserai[6] d'une manière…

MONSIEUR JOURDAIN. – Je vous prie.

---

1. Batteur de fer : terme moqueur pour désigner un escrimeur.
2. Quereller : provoquer.
3. Entend : connaît, maîtrise.
4. Cheval de carrosse : ici, homme stupide, brutal.
5. Étrillerai : battrai.
6. Rosserai : frapperai violemment.

Maître de musique. – Laissez-nous un peu lui apprendre à parler.

70 **Monsieur Jourdain.** – Mon Dieu ! arrêtez-vous.

Scène 3

**Monsieur Jourdain, Maître de musique,
Maître à danser, Maître d'armes,
Maître de philosophie, Laquais**

Monsieur Jourdain. – Holà, Monsieur le Philosophe, vous arrivez tout à propos avec votre philosophie. Venez un peu mettre la paix entre ces personnes-ci.

Maître de philosophie. – Qu'est-ce donc ? qu'y a-t-il,
5 Messieurs ?

Monsieur Jourdain. – Ils se sont mis en colère pour la préférence[1] de leurs professions jusqu'à se dire des injures, et vouloir en venir aux mains.

Maître de philosophie. – Hé quoi ? Messieurs, faut-il s'empor-
10 ter de la sorte ? et n'avez-vous point lu le docte traité[2] que Sénèque[3] a composé de la colère ? Y a-t-il rien de plus bas et de plus honteux que cette passion, qui fait d'un homme

---

1. **Préférence** : ici, supériorité.
2. **Docte traité** : savant ouvrage.
3. **Sénèque** (vers 4 av. J.-C. – 65 ap. J.-C.) : écrivain et philosophe romain.

une bête féroce? et la raison ne doit-elle pas être maîtresse de tous nos mouvements[1]?

15 **Maître à danser.** – Comment, Monsieur, il vient nous dire des injures à tous deux, en méprisant la danse que j'exerce, et la musique dont il fait profession?

Maître de philosophie. – Un homme sage est au-dessus de toutes les injures qu'on lui peut dire, et la grande réponse 20 qu'on doit faire aux outrages[2], c'est la modération et la patience.

Maître d'armes. – Ils ont tous deux l'audace de vouloir comparer leurs professions à la mienne.

Maître de philosophie. – Faut-il que cela vous émeuve? Ce 25 n'est pas de vaine gloire et de condition[3] que les hommes doivent disputer[4] entre eux; et ce qui nous distingue parfaitement les uns des autres, c'est la sagesse et la vertu[5].

Maître à danser. – Je lui soutiens que la danse est une science à laquelle on ne peut faire assez d'honneur.

30 **Maître de musique.** – Et moi, que la musique en est une que tous les siècles ont révérée[6].

Maître d'armes. – Et moi, je leur soutiens à tous deux que la science de tirer des armes est la plus belle et la plus nécessaire de toutes les sciences.

---

1. Mouvements: actions.
2. Outrages: affronts, offenses.
3. Condition: rang tenu dans la société du fait de sa famille ou de sa profession.
4. Disputer: discuter.
5. Vertu: qualité morale.
6. Révérée: traitée avec un grand respect.

35 **Maître de philosophie.** – Et que sera donc la philosophie? Je vous trouve tous trois bien impertinents de parler devant moi avec cette arrogance[1], et de donner impudemment[2] le nom de science à des choses que l'on ne doit pas même honorer du nom d'art, et qui ne peuvent être comprises

40 que sous le nom de métier misérable de gladiateur[3], de chanteur et de baladin[4]!

Maître d'armes. – Allez, philosophe de chien.

Maître de musique. – Allez, bélître de pédant[5].

Maître à danser. – Allez, cuistre fieffé[6].

45 **Maître de philosophie.** – Comment? marauds[7] que vous êtes…

> *Le Philosophe se jette sur eux, et tous trois le chargent de coups, et sortent en se battant.*

Monsieur Jourdain. – Monsieur le Philosophe!

Maître de philosophie. – Infâmes! coquins! insolents!

Monsieur Jourdain. – Monsieur le Philosophe!

50 **Maître d'armes.** – La peste l'animal!

Monsieur Jourdain. – Messieurs!

Maître de philosophie. – Impudents!

---

1. Arrogance : insolence.
2. Impudemment : avec impertinence.
3. Gladiateur : homme qui combattait dans les jeux du cirque dans la Rome antique.
4. Baladin : danseur (sens péjoratif).
5. Bélître de pédant : homme sans valeur qui fait étalage du peu de connaissances qu'il a.
6. Cuistre fieffé : grand prétentieux.
7. Marauds : vauriens.

Monsieur Jourdain. – Monsieur le Philosophe !

Maître à danser. – Diantre soit de l'âne bâté[1] !

55 **Monsieur Jourdain.** – Messieurs !

Maître de philosophie. – Scélérats[2] !

Monsieur Jourdain. – Monsieur le Philosophe !

Maître de musique. – Au diable l'impertinent !

Monsieur Jourdain. – Messieurs !

60 **Maître de philosophie.** – Fripons[3] ! gueux[4] ! traîtres ! imposteurs[5] !

Ils sortent.

Monsieur Jourdain. – Monsieur le Philosophe, Messieurs, Monsieur le Philosophe, Messieurs, Monsieur le Philosophe ! Oh ! battez-vous tant qu'il vous plaira : je n'y saurais que
65 faire, et n'irai pas gâter[6] ma robe pour vous séparer. Je serais bien fou de m'aller fourrer parmi eux, pour recevoir quelque coup qui me ferait mal.

---

1. **Diantre soit de l'âne bâté** : que cet esprit stupide et borné aille au diable.
2. **Scélérats** : criminels.
3. **Fripons** : escrocs, filous.
4. **Gueux** : personnes méprisables.
5. **Imposteurs** : trompeurs, charlatans.
6. **Gâter** : abîmer.

Scène 4

Monsieur Jourdain,
Maître de philosophie

Maître de philosophie, *en raccommodant son collet*[1]. – Venons à notre leçon.

Monsieur Jourdain. – Ah ! Monsieur, je suis fâché des coups qu'ils vous ont donnés.

5 **Maître de philosophie.** – Cela n'est rien. Un philosophe sait recevoir comme il faut les choses, et je vais composer contre eux une satire[2] du style de Juvénal[3], qui les déchirera[4] de la belle façon. Laissons cela. Que voulez-vous apprendre ?

Monsieur Jourdain. – Tout ce que je pourrai, car j'ai toutes 10 les envies du monde d'être savant ; et j'enrage que mon père et ma mère ne m'aient pas fait bien étudier dans toutes les sciences, quand j'étais jeune.

Maître de philosophie. – Ce sentiment est raisonnable[5] : *Nam sine doctrina vita est quasi mortis imago.* Vous entendez[6] 15 cela, et vous savez le latin sans doute[7] ?

Monsieur Jourdain. – Oui, mais faites comme si je ne le savais pas : expliquez-moi ce que cela veut dire.

---

1. **En raccommodant son collet** : en remettant son col.
2. **Satire** : ici, poème qui vise à tourner en ridicule les défauts de quelqu'un.
3. **Juvénal** (fin du Ier siècle-début du IIe siècle) : poète latin qui dénonçait dans ses écrits certains comportements de ses contemporains.
4. **Qui les déchirera** : qui ruinera leur réputation.
5. **Raisonnable** : de bon sens.
6. **Entendez** : comprenez.
7. **Sans doute** : sans aucun doute.

MAÎTRE DE PHILOSOPHIE. – Cela veut dire que sans la science, la vie est presque une image de la mort.

20 **MONSIEUR JOURDAIN.** – Ce latin-là a raison.

MAÎTRE DE PHILOSOPHIE. – N'avez-vous point quelques principes[1], quelques commencements des sciences?

MONSIEUR JOURDAIN. – Oh! oui, je sais lire et écrire.

MAÎTRE DE PHILOSOPHIE. – Par où vous plaît-il que nous com-
25 mencions? Voulez-vous que je vous apprenne la logique[2]?

MONSIEUR JOURDAIN. – Qu'est-ce que c'est que cette logique?

MAÎTRE DE PHILOSOPHIE. – C'est elle qui enseigne les trois opérations de l'esprit.

MONSIEUR JOURDAIN. – Qui sont-elles, ces trois opérations
30 de l'esprit?

MAÎTRE DE PHILOSOPHIE. – La première, la seconde et la troisième. La première est de bien concevoir par le moyen des universaux[3]. La seconde, de bien juger par le moyen des catégories[4], et la troisième de bien tirer une consé-
35 quence par le moyen des figures *Barbara, Celarent, Darii, Ferio, Baralipton*[5], etc.

---

1. Principes : connaissances de base.
2. Logique : discipline de la philosophie qui étudie les règles de la pensée.
3. Universaux : concepts universels.
4. Catégories : ensembles d'éléments partageant une caractéristique commune.
5. *Barbara, Celarent, Darii, Ferio, Baralipton* : figures de raisonnements définies par les philosophes grecs de l'Antiquité.

MONSIEUR JOURDAIN. – Voilà des mots qui sont trop rébarbatifs[1]. Cette logique-là ne me revient[2] point. Apprenons autre chose qui soit plus joli.

40 **MAÎTRE DE PHILOSOPHIE**. – Voulez-vous apprendre la morale[3]?

MONSIEUR JOURDAIN. – La morale?

MAÎTRE DE PHILOSOPHIE. – Oui.

MONSIEUR JOURDAIN. – Qu'est-ce qu'elle dit cette morale?

MAÎTRE DE PHILOSOPHIE. – Elle traite de la félicité[4], enseigne
45 aux hommes à modérer leurs passions, et…

MONSIEUR JOURDAIN. – Non, laissons cela. Je suis bilieux[5] comme tous les diables; et il n'y a morale qui tienne, je me veux mettre en colère tout mon soûl[6], quand il m'en prend envie.

50 **MAÎTRE DE PHILOSOPHIE**. – Est-ce la physique[7] que vous voulez apprendre?

MONSIEUR JOURDAIN. – Qu'est-ce qu'elle chante, cette physique?

MAÎTRE DE PHILOSOPHIE. – La physique est celle qui explique les principes des choses naturelles et les propriétés du corps;
55 qui discourt de la nature des éléments, des métaux, des minéraux, des pierres, des plantes et des animaux, et nous enseigne les causes de tous les météores, l'arc-en-ciel, les

---

1. **Rébarbatifs**: ennuyeux.
2. **Revient**: plaît.
3. **Morale**: discipline de la philosophie qui s'intéresse à la recherche du Bien.
4. **Félicité**: bonheur.
5. **Bilieux**: colérique.
6. **Tout mon soûl**: autant qu'il me plaît.
7. **Physique**: discipline de la philosophie qui étudie la nature.

feux volants, les comètes, les éclairs, le tonnerre, la foudre, la pluie, la neige, la grêle, les vents et les tourbillons.

60 **MONSIEUR JOURDAIN.** – Il y a trop de tintamarre[1] là-dedans, trop de brouillamini[2].

MAÎTRE DE PHILOSOPHIE. – Que voulez-vous donc que je vous apprenne ?

MONSIEUR JOURDAIN. – Apprenez-moi l'orthographe.

65 **MAÎTRE DE PHILOSOPHIE.** – Très volontiers.

MONSIEUR JOURDAIN. – Après vous m'apprendrez l'almanach[3], pour savoir quand il y a de la lune et quand il n'y en a point.

MAÎTRE DE PHILOSOPHIE. – Soit. Pour bien suivre votre pensée et traiter cette matière en philosophe, il faut commen-
70 cer selon l'ordre des choses, par une exacte connaissance de la nature des lettres, et de la différente manière de les prononcer toutes. Et là-dessus j'ai à vous dire que les lettres sont divisées en voyelles, ainsi dites voyelles parce qu'elles expriment les voix, et en consonnes, ainsi appelées
75 consonnes parce qu'elles sonnent avec les voyelles, et ne font que marquer les diverses articulations des voix. Il y a cinq voyelles ou voix : A, E, I, O, U.

MONSIEUR JOURDAIN. – J'entends tout cela.

MAÎTRE DE PHILOSOPHIE. – La voix A se forme en ouvrant
80 fort la bouche : A.

MONSIEUR JOURDAIN. – A, A. Oui.

---

1. **Tintamarre** : grand bruit.
2. **Brouillamini** : désordre, confusion.
3. **Almanach** : calendrier.

MAÎTRE DE PHILOSOPHIE. – La voix E se forme en rapprochant la mâchoire d'en bas de celle d'en haut: A, E.

MONSIEUR JOURDAIN. – A, E, A, E. Ma foi! oui. Ah! que cela est beau.

MAÎTRE DE PHILOSOPHIE. – Et la voix I en rapprochant encore davantage les mâchoires l'une de l'autre, et écartant les deux coins de la bouche vers les oreilles: A, E, I.

MONSIEUR JOURDAIN. – A, E, I, I, I, I. Cela est vrai. Vive la science!

MAÎTRE DE PHILOSOPHIE. – La voix O se forme en rouvrant les mâchoires, et rapprochant les lèvres par les deux coins, le haut et le bas: O.

MONSIEUR JOURDAIN. – O, O. Il n'y a rien de plus juste. A, E, I, O, I, O. Cela est admirable! I, O, I, O.

MAÎTRE DE PHILOSOPHIE. – L'ouverture de la bouche fait justement comme un petit rond qui représente un O.

MONSIEUR JOURDAIN. – O, O, O. Vous avez raison, O. Ah! la belle chose que de savoir quelque chose!

MAÎTRE DE PHILOSOPHIE. – La voix U se forme en rapprochant les dents sans les joindre entièrement, et allongeant les deux lèvres en dehors, les approchant aussi l'une de l'autre sans les joindre tout à fait: U.

MONSIEUR JOURDAIN. – U, U. Il n'y a rien de plus véritable: U.

MAÎTRE DE PHILOSOPHIE. – Vos deux lèvres s'allongent comme si vous faisiez la moue: d'où vient que si vous la voulez faire à quelqu'un, et vous moquer de lui, vous ne sauriez lui dire que : U.

MONSIEUR JOURDAIN. – U, U. Cela est vrai. Ah! que n'ai-je
110 étudié plus tôt[1], pour savoir tout cela?

MAÎTRE DE PHILOSOPHIE. – Demain, nous verrons les autres lettres, qui sont les consonnes.

MONSIEUR JOURDAIN. – Est-ce qu'il y a des choses aussi curieuses qu'à celles-ci?

115 **MAÎTRE DE PHILOSOPHIE.** – Sans doute. La consonne D, par exemple, se prononce en donnant du bout de la langue au-dessus des dents d'en haut! Da.

MONSIEUR JOURDAIN. – Da, Da. Oui. Ah! les belles choses! les belles choses!

120 **MAÎTRE DE PHILOSOPHIE.** – L'F en appuyant les dents d'en haut sur la lèvre de dessous : Fa.

MONSIEUR JOURDAIN. – Fa, Fa. C'est la vérité. Ah! mon père et ma mère, que je vous veux de mal!

MAÎTRE DE PHILOSOPHIE. – Et l'R, en portant le bout de la
125 langue jusqu'au haut du palais, de sorte qu'étant frôlée par l'air qui sort avec force, elle lui cède, et revient toujours au même endroit, faisant une manière de tremblement : Rra.

MONSIEUR JOURDAIN. – R, r, ra, R, r, r, r, r, ra. Cela est vrai. Ah! l'habile homme que vous êtes! et que j'ai perdu de
130 temps! R, r, r, ra.

---

1. **Que n'ai-je étudié plus tôt** : pourquoi n'ai-je pas étudié plus tôt.

Maître de philosophie. – Je vous expliquerai à fond toutes ces curiosités.

Monsieur Jourdain. – Je vous en prie. Au reste, il faut que je vous fasse une confidence. Je suis amoureux d'une personne
135 de grande qualité, et je souhaiterais que vous m'aidassiez à lui écrire quelque chose dans un petit billet[1] que je veux laisser tomber à ses pieds.

Maître de philosophie. – Fort bien.

Monsieur Jourdain. – Cela sera galant, oui ?

140 **Maître de philosophie.** – Sans doute. Sont-ce des vers que vous lui voulez écrire ?

Monsieur Jourdain. – Non, non, point de vers.

Maître de philosophie. – Vous ne voulez que de la prose[2] ?

Monsieur Jourdain. – Non, je ne veux ni prose ni vers.

145 **Maître de philosophie.** – Il faut bien que ce soit l'un, ou l'autre.

Monsieur Jourdain. – Pourquoi ?

Maître de philosophie. – Par la raison, Monsieur, qu'il n'y a pour s'exprimer que la prose ou les vers.

150 **Monsieur Jourdain.** – Il n'y a que la prose ou les vers ?

Maître de philosophie. – Non, Monsieur : tout ce qui n'est point prose est vers ; et tout ce qui n'est point vers est prose.

---

1. Billet : message écrit.
2. Prose : forme du discours, écrit ou oral, ordinaire, c'est-à-dire sans rythme particulier ni rime (par opposition à la poésie).

MONSIEUR JOURDAIN. – Et comme l'on parle, qu'est-ce que c'est donc que cela?

155 **MAÎTRE DE PHILOSOPHIE.** – De la prose.

MONSIEUR JOURDAIN. – Quoi? quand je dis: «Nicole apportez-moi mes pantoufles, et me donnez mon bonnet de nuit», c'est de la prose?

MAÎTRE DE PHILOSOPHIE. – Oui, Monsieur.

160 **MONSIEUR JOURDAIN.** – Par ma foi! il y a plus de quarante ans que je dis de la prose sans que j'en susse rien, et je vous suis le plus obligé[1] du monde de m'avoir appris cela. Je voudrais donc lui mettre dans un billet: *Belle Marquise, vos beaux yeux me font mourir d'amour*; mais je voudrais que
165 cela fût mis d'une manière galante, que cela fût tourné gentiment[2].

MAÎTRE DE PHILOSOPHIE. – Mettre que les feux de ses yeux réduisent votre cœur en cendres; que vous souffrez nuit et jour pour elle les violences d'un...

170 **MONSIEUR JOURDAIN.** – Non, non, non, je ne veux point tout cela; je ne veux que ce que je vous ai dit: *Belle Marquise, vos beaux yeux me font mourir d'amour.*

MAÎTRE DE PHILOSOPHIE. – Il faut bien étendre un peu la chose.

175 **MONSIEUR JOURDAIN.** – Non, vous dis-je, je ne veux que ces seules paroles-là dans le billet; mais tournées à la mode,

---

1. **Obligé**: reconnaissant.
2. **Gentiment**: de manière élégante.

bien arrangées comme il faut. Je vous prie de me dire un peu, pour voir, les diverses manières dont on les peut mettre.

Maître de philosophie. – On les peut mettre premièrement
180 comme vous avez dit : *Belle Marquise, vos beaux yeux me font mourir d'amour.* Ou bien : *D'amour mourir me font, belle Marquise, vos beaux yeux.* Ou bien : *Vos yeux beaux d'amour me font, belle Marquise, mourir.* Ou bien : *Mourir vos beaux yeux, belle Marquise, d'amour me font.* Ou bien : *Me font vos*
185 *yeux beaux mourir, belle Marquise, d'amour.*

Monsieur Jourdain. – Mais de toutes ces façons-là, laquelle est la meilleure ?

Maître de philosophie. – Celle que vous avez dite : *Belle Marquise, vos beaux yeux me font mourir d'amour.*

190 **Monsieur Jourdain.** – Cependant je n'ai point étudié, et j'ai fait cela tout du premier coup. Je vous remercie de tout mon cœur, et vous prie de venir demain de bonne heure.

Maître de philosophie. – Je n'y manquerai pas.

Monsieur Jourdain, *à son laquais.* – Comment ? mon habit
195 n'est point encore arrivé ?

Second laquais. – Non, Monsieur.

Monsieur Jourdain. – Ce maudit tailleur me fait bien attendre pour un jour où j'ai tant d'affaires. J'enrage. Que la fièvre quartaine[1] puisse serrer[2] bien fort le bourreau de
200 tailleur ! Au diable le tailleur ! La peste étouffe le tailleur !

---

1. **Quartaine** : qui revient tous les quatre jours.
2. **Serrer** : attaquer.

Si je le tenais maintenant, ce tailleur détestable, ce chien de tailleur-là, ce traître de tailleur, je…

Scène 5

MONSIEUR JOURDAIN, MAÎTRE TAILLEUR,
GARÇON TAILLEUR, *portant l'habit*
de MONSIEUR JOURDAIN, LAQUAIS

MONSIEUR JOURDAIN. – Ah vous voilà ! je m'allais mettre en colère contre vous.

MAÎTRE TAILLEUR. – Je n'ai pas pu venir plus tôt, et j'ai mis vingt garçons après votre habit[1].

5 **MONSIEUR JOURDAIN.** – Vous m'avez envoyé des bas de soie si étroits que j'ai eu toutes les peines du monde à les mettre, et il y a déjà deux mailles de rompues.

MAÎTRE TAILLEUR. – Ils ne s'élargiront que trop.

MONSIEUR JOURDAIN. – Oui, si je romps toujours des mailles.
10 Vous m'avez aussi fait faire des souliers qui me blessent furieusement.

MAÎTRE TAILLEUR. – Point du tout, Monsieur.

MONSIEUR JOURDAIN. – Comment, point du tout ?

---

1. **Après votre habit** : à travailler sur votre vêtement.

Maître tailleur. – Non, ils ne vous blessent point.

15 **Monsieur Jourdain.** – Je vous dis qu'ils me blessent, moi.

Maître tailleur. – Vous vous imaginez cela.

Monsieur Jourdain. – Je me l'imagine, parce que je le sens. Voyez la belle raison[1] !

Maître tailleur. – Tenez, voilà le plus bel habit de la cour, et 20 le mieux assorti. C'est un chef-d'œuvre que d'avoir inventé un habit sérieux qui ne fût pas noir ; et je le donne en six coups aux tailleurs les plus éclairés[2].

Monsieur Jourdain. – Qu'est-ce que c'est que ceci ? Vous avez mis les fleurs en enbas[3].

25 **Maître tailleur.** – Vous ne m'aviez pas dit que vous les vouliez en enhaut.

Monsieur Jourdain. – Est-ce qu'il faut dire cela ?

Maître tailleur. – Oui, vraiment. Toutes les personnes de qualité les portent de la sorte.

30 **Monsieur Jourdain.** – Les personnes de qualité portent les fleurs en enbas ?

Maître tailleur. – Oui, Monsieur.

Monsieur Jourdain. – Oh ! voilà qui est donc bien.

Maître tailleur. – Si vous voulez, je les mettrai en enhaut[4].

---

1. Voyez la belle raison : quel étrange argument.
2. Je le donne en six coups aux tailleurs les plus éclairés : je défie les meilleurs tailleurs de faire mieux.
3. En enbas : à l'envers.
4. En enhaut : à l'endroit.

35 **MONSIEUR JOURDAIN.** – Non, non.

MAÎTRE TAILLEUR. – Vous n'avez qu'à dire.

MONSIEUR JOURDAIN. – Non, vous dis-je ; vous avez bien fait. Croyez-vous que l'habit m'aille bien ?

MAÎTRE TAILLEUR. – Belle demande ! Je défie un peintre,
40 avec son pinceau, de vous faire rien de plus juste. J'ai chez moi un garçon qui, pour monter une rhingrave[1], est le plus grand génie du monde ; et un autre qui, pour assembler un pourpoint[2], est le héros de notre temps.

MONSIEUR JOURDAIN. – La perruque et les plumes sont-elles
45 comme il faut ?

MAÎTRE TAILLEUR. – Tout est bien.

MONSIEUR JOURDAIN, *en regardant l'habit du tailleur.* – Ah ! ah ! Monsieur le tailleur, voilà de mon étoffe du dernier habit que vous m'avez fait. Je la reconnais bien.

50 **MAÎTRE TAILLEUR.** – C'est que l'étoffe me sembla si belle, que j'en ai voulu lever[3] un habit pour moi.

MONSIEUR JOURDAIN. – Oui, mais il ne fallait pas le lever avec le mien.

MAÎTRE TAILLEUR. – Voulez-vous mettre votre habit ?

55 **MONSIEUR JOURDAIN.** – Oui, donnez-moi.

MAÎTRE TAILLEUR. – Attendez. Cela ne va pas comme cela. J'ai amené des gens pour vous habiller en cadence, et ces

---

1. Monter une rhingrave : coudre un pantalon ample.
2. Pourpoint : vêtement ajusté qui couvre le haut du corps.
3. Lever : tailler.

sortes d'habits se mettent avec cérémonie. Holà! entrez, vous autres. Mettez cet habit à Monsieur, de la manière que vous faites aux personnes de qualité.

Quatre garçons tailleurs entrent, dont deux lui arrachent le haut-de-chausses de ses exercices, et deux autres la camisole; puis ils lui mettent son habit neuf; et Monsieur Jourdain se promène entre eux, et leur montre son habit, pour voir s'il est bien. Le tout à la cadence de toute la symphonie[1].

GARÇON TAILLEUR. – Mon gentilhomme[2], donnez, s'il vous plaît, aux garçons quelque chose pour boire.

MONSIEUR JOURDAIN. – Comment m'appelez-vous?

GARÇON TAILLEUR. – Mon gentilhomme.

MONSIEUR JOURDAIN. – « Mon gentilhomme! » Voilà ce que c'est de se mettre en personne de qualité. Allez-vous-en demeurer toujours habillé en bourgeois, on ne vous dira point: «Mon gentilhomme.» Tenez, voilà pour «Mon gentilhomme».

GARÇON TAILLEUR. – Monseigneur[3], nous vous sommes bien obligés.

MONSIEUR JOURDAIN. – « Monseigneur », oh, oh! «Monseigneur!» Attendez, mon ami: «Monseigneur» mérite quelque chose et ce n'est pas une petite parole que «Monseigneur». Tenez, voilà ce que Monseigneur vous donne.

---

1. Symphonie: concert pour orchestre.
2. Gentilhomme: titre donné aux nobles.
3. Monseigneur: titre honorifique réservé à un prince ou à un évêque.

GARÇON TAILLEUR. – Monseigneur, nous allons boire tous à la santé de Votre Grandeur[1].

MONSIEUR JOURDAIN. – « Votre Grandeur ! » Oh, oh, oh ! Attendez, ne vous en allez pas. À moi « Votre Grandeur ! ». *(Bas, à part.)* Ma foi, s'il va jusqu'à l'Altesse[2], il aura toute la bourse. *(Haut.)* Tenez, voilà pour Ma Grandeur.

GARÇON TAILLEUR. – Monseigneur, nous la remercions très humblement de ses libéralités[3].

MONSIEUR JOURDAIN. – Il a bien fait : je lui allais tout donner.

Les quatre garçons tailleurs se réjouissent
par une danse, qui fait le second intermède.

---

1. **Votre Grandeur** : titre réservé aux nobles de haut rang.
2. **Altesse** : titre donné aux princes.
3. **Libéralités** : cadeaux généreux.

Un quiz pour commencer

Cochez les bonnes réponses.

1 *Dans quelle ville la pièce se déroule-t-elle ?*
- ❏ Istanbul.
- ❏ Paris.
- ❏ Rome.

2 *Qui est Monsieur Jourdain ?*
- ❏ Un valet qui se déguise en maître.
- ❏ Un noble qui cherche à s'enrichir.
- ❏ Un bourgeois qui veut passer pour un noble.

3 *Comment le maître de musique et le maître à danser décrivent-ils Monsieur Jourdain ?*
- ❏ Comme un homme ignorant mais riche.
- ❏ Comme un homme cultivé mais arrogant.
- ❏ Comme un homme ignorant mais doué.

4 *Pourquoi Monsieur Jourdain prend-il des leçons ?*

❏ Parce qu'il s'ennuie.

❏ Parce qu'il veut suivre des études.

❏ Parce qu'il veut devenir savant comme les nobles.

5 *Pour quelle raison les différents maîtres finissent-ils par se battre ?*

❏ Le maître d'armes blesse les autres maîtres avec son fleuret.

❏ Le maître d'armes insulte les autres maîtres.

❏ Le maître d'armes veut faire renvoyer les autres maîtres.

6 *Quelle leçon le maître de philosophie donne-t-il finalement à Monsieur Jourdain ?*

❏ Une leçon de morale.

❏ Une leçon de physique.

❏ Une leçon d'orthographe.

7 *À qui Monsieur Jourdain veut-il adresser un billet ?*

❏ À une marquise dont il est amoureux.

❏ À son tailleur.

❏ Au roi.

8 *Pourquoi Monsieur Jourdain se montre-t-il généreux envers le garçon tailleur ?*

❏ Parce que le garçon tailleur lui a donné des souliers plus larges.

❏ Parce que le garçon tailleur l'a appelé « gentilhomme ».

❏ Parce qu'il est content de son nouvel habit.

Des questions pour aller plus loin

→ *Découvrir l'exposition de la pièce*

Monsieur Jourdain, un personnage comique

1 Dans la scène 2 de l'acte I, quels indices prouvent que Monsieur Jourdain ne se satisfait pas de son statut social ? Relevez l'expression qui désigne la condition à laquelle il aspire.

2 Que révèlent les passages dans lesquels Monsieur Jourdain s'exerce à l'art du chant, de la danse et du combat ? Quel effet produisent-ils sur le spectateur ?

3 Comment Monsieur Jourdain se comporte-t-il envers ses laquais (acte I, scène 2) et envers le garçon tailleur (acte II, scène 5) ?

4 Pourquoi Monsieur Jourdain accorde-t-il tant d'importance à ses vêtements ? Relevez une expression portant sur ce sujet dans la scène 2 de l'acte I, qui renforce le caractère ridicule du personnage.

5 **Lecture d'images** Comparez le costume de Monsieur Jourdain sur la photographie reproduite en page II du cahier photos, en bas, avec la tenue de Louis XIV dans la peinture d'Antoine Coypel reproduite en page IV du cahier photos. Comment expliquez-vous ce choix dans la mise en scène de Catherine Hiegel ?

La satire des maîtres

6 Que pensent le maître de musique et le maître à danser de Monsieur Jourdain et pourquoi acceptent-ils de lui donner des leçons ? Que pouvez-vous en conclure sur leur attitude ?

7 Relevez des exemples de flatteries de la part des maîtres. Quels procédés comiques Molière emploie-t-il pour dénoncer leur comportement ?

8 Pourquoi la conversation tourne-t-elle au conflit dans la scène 2 de l'acte II ? Cherchez dans le dictionnaire le sens du mot « stichomythie ». Comment ce procédé traduit-il le conflit ?

9 Un philosophe est une personne qui aime et recherche la sagesse. Le maître de philosophie correspond-il à cette définition tout au long de la scène 3 de l'acte II ?

Zoom sur la scène 4 de l'acte II (p. 38-47)

10 À quoi se réduisent les connaissances de Monsieur Jourdain, de son propre aveu ? En acquiert-il de nouvelles durant la leçon ?

11 Pourquoi les réactions de Monsieur Jourdain, pendant la leçon d'orthographe, sont-elles comiques ?

12 Quels sont les différents moments où le maître de philosophie se moque de Monsieur Jourdain ? De quels défauts du maître Molière se moque-t-il également ?

La comédie-ballet : instruire et divertir

13 Quels types de spectacles trouve-t-on dans les actes I et II ? Que peut-on en déduire sur l'objectif de la pièce ?

14 Dans la scène 2 de l'acte I, quels rôles le maître de musique et le maître à danser attribuent-ils à leurs arts respectifs ?

15 Sur le site Internet **www.ina.fr**, recherchez et visionnez l'extrait nommé « *Le Bourgeois gentilhomme* comme à sa création en 1670 devant Louis XIV ». Quel est l'intérêt des choix faits par le metteur en scène ?

✔ *Rappelez-vous !*

• Les premières scènes d'une pièce de théâtre s'appellent **scènes d'exposition**. Elles présentent au spectateur les personnages, leur caractère et fournissent les informations nécessaires à la compréhension de l'intrigue.

• *Le Bourgeois gentilhomme* est **une comédie-ballet**, un spectacle qui mêle musique, danse, théâtre et chant. Ce genre fait appel à tous les sens du spectateur dans le but de le divertir.

De la lecture à l'écriture

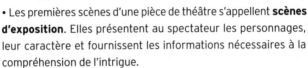 *Des mots pour mieux écrire*

1 *Recopiez et complétez le tableau ci-dessous avec les mots suivants.*

| mouvements | ritournelle | menuets | ballet | air |

| chant | concert | sérénade | symphonie | baladin |

Champ lexical de la danse	Champ lexical de la musique

2 *À l'aide d'un dictionnaire et du Contexte historique et culturel pages 202-204, complétez chacune des phrases suivantes avec les mots qui conviennent.*

> bourgeois   noblesse de robe   marchand   laquais
>   honnête homme   noblesse d'épée   Tiers-État

a. À l'époque de Molière, la société est encore divisée en trois ordres : la noblesse, le clergé et le _____.

b. Un _____ était à l'origine un habitant du bourg, c'est-à-dire de la ville. Il appartient au peuple, tout comme le _____ et le _____. Au XVIIe siècle, s'il fait fortune dans le commerce, il peut être plus riche que de nombreux nobles désargentés.

c. Louis XIV favorise l'essor de la bourgeoisie commerçante, qui peut accéder à la noblesse en achetant une charge à l'État dans les domaines de la justice ou de la finance. On appelle cette nouvelle noblesse la _____.

d. Cette noblesse récente s'oppose à la traditionnelle _____ _____ qui comprend des aristocrates de naissance, anoblis dans les fonctions militaires au cours du Moyen Âge.

e. Le XVIIe siècle promeut l'idéal de l'_____. Celui-ci doit être agréable et cultivé, savoir tenir une conversation plaisante sans se mettre exagérément en valeur, se montrer tolérant et respectueux des autres tout en restant naturel.

À vous d'écrire

1 La rivalité est forte entre les différents maîtres de Monsieur Jourdain. Choisissez parmi leurs disciplines celle que vous préférez et rédigez un discours pour la défendre auprès des autres maîtres.

Consigne. Votre monologue, d'une quinzaine de lignes, respectera la présentation d'une scène de théâtre. Il mettra en valeur les aspects positifs de la discipline choisie et le bénéfice qu'en retire celui qui l'apprend.

2 Vous êtes metteur en scène et vous souhaitez représenter la scène 5 de l'acte II. Rédigez une note d'intention de mise en scène, dans laquelle vous expliquerez comment le passage doit être joué.

Consigne. Votre texte, d'une quinzaine de lignes, précisera les décors, les costumes, les accessoires, les gestes et le ton de chaque personnage. Il mettra en valeur la dimension comique de la scène. N'oubliez pas que, au début, Monsieur Jourdain est en colère, que le tailleur se défend contre ses attaques et que la scène s'achève sur une note comique.

Du texte à l'image

• Monsieur Jourdain (Philippe Car) et le maître de musique dans la mise en scène de Philippe Car, théâtre du Gymnase, Paris, 2009.
• Monsieur Jourdain (Marcel Maréchal) et les maîtres dans la mise en scène de Marcel Maréchal, théâtre 14, Paris, 2012.

➡ **Images reproduites en début d'ouvrage, au verso de la couverture.**

• Monsieur Jourdain (Olivier Martin) et le maître de philosophie (Benjamin Lazar) dans la mise en scène de Benjamin Lazar, théâtre du Trianon, Versailles, 2004.

➡ **Image reproduite dans le cahier photos, page II.**

👁 Lire l'image

1 Décrivez précisément les personnages sur la photographie de la mise en scène de Philippe Car (costume, attitude...). Selon vous, quelle technique est utilisée pour représenter le personnage de droite ?

2 Comparez l'attitude des deux personnages sur la photographie de la mise en scène de Benjamin Lazar. Lequel a l'air naïf ? Lequel a l'air inquiétant et pourquoi ?

3 Quelle(s) relation(s) entre les personnages la photographie de la mise en scène de Marcel Maréchal illustre-t-elle ?

📄 Comparer le texte et l'image

4 Identifiez les personnages des trois mises en scène. À quels passages de la pièce correspondent ces trois photographies ?

5 Quels défauts des maîtres sont mis en évidence ?

✏ À vous de créer

6 Dans la scène 4 de l'acte II, le maître de philosophie promet de revenir. Imaginez la suite de la leçon d'orthographe de Monsieur Jourdain.

Moreau le Jeune, illustration pour une édition
du *Bourgeois gentilhomme*, gravure, 1773.

ACTE III

Scène 1
MONSIEUR JOURDAIN, LAQUAIS

MONSIEUR JOURDAIN. – Suivez-moi, que j'aille un peu montrer mon habit par la ville ; et surtout ayez soin tous deux de marcher immédiatement sur mes pas, afin qu'on voie bien que vous êtes à moi.

5 **LAQUAIS.** – Oui, Monsieur.

MONSIEUR JOURDAIN. – Appelez-moi Nicole, que je lui donne quelques ordres. Ne bougez, la voilà.

Scène 2

MONSIEUR JOURDAIN, LAQUAIS, NICOLE

MONSIEUR JOURDAIN. – Nicole !

NICOLE. – Plaît-il[1] ?

MONSIEUR JOURDAIN. – Écoutez.

NICOLE. – Hi, hi, hi, hi, hi !

5   **MONSIEUR JOURDAIN.** – Qu'as-tu à rire ?

NICOLE. – Hi, hi, hi, hi, hi, hi !

MONSIEUR JOURDAIN. – Que veut dire cette coquine-là ?

NICOLE. – Hi, hi, hi. Comme vous voilà bâti[2] ! Hi, hi, hi !

MONSIEUR JOURDAIN. – Comment donc ?

10 **NICOLE.** – Ah, ah ! mon Dieu ! Hi, hi, hi, hi, hi !

MONSIEUR JOURDAIN. – Quelle friponne est-ce là ! Te moques-tu de moi ?

NICOLE. – Nenni, Monsieur, j'en serais bien fâchée. Hi, hi, hi, hi, hi, hi !

15 **MONSIEUR JOURDAIN.** – Je te baillerai[3] sur le nez, si tu ris davantage.

NICOLE. – Monsieur, je ne puis pas m'en empêcher. Hi, hi, hi, hi, hi, hi !

---

1. Plaît-il : pardon.
2. Bâti : ici, déguisé, accoutré.
3. Baillerai : donnerai des coups.

Monsieur Jourdain. – Tu ne t'arrêteras pas ?

20 **Nicole.** – Monsieur, je vous demande pardon ; mais vous êtes si plaisant, que je ne saurais me tenir[1] de rire. Hi, hi, hi !

Monsieur Jourdain. – Mais voyez quelle insolence !

Nicole. – Vous êtes tout à fait drôle comme cela. Hi, hi !

Monsieur Jourdain. – Je te…

25 **Nicole.** – Je vous prie de m'excuser. Hi, hi, hi, hi !

Monsieur Jourdain. – Tiens, si tu ris encore le moins du monde, je te jure que je t'appliquerai sur la joue le plus grand soufflet[2] qui se soit jamais donné.

Nicole. – Hé bien, Monsieur, voilà qui est fait, je ne rirai plus.

30 **Monsieur Jourdain.** – Prends-y bien garde. Il faut que pour tantôt tu nettoies…

Nicole. – Hi, hi !

Monsieur Jourdain. – Que tu nettoies comme il faut…

Nicole. – Hi, hi !

35 **Monsieur Jourdain.** – Il faut, dis-je, que tu nettoies la salle, et…

Nicole. – Hi, hi !

Monsieur Jourdain. – Encore !

---

1. Tenir : retenir.
2. Soufflet : gifle.

NICOLE. – Tenez, Monsieur, battez-moi plutôt et me laissez
40 rire tout mon soûl, cela me fera plus de bien. Hi, hi, hi,
hi, hi !

MONSIEUR JOURDAIN. – J'enrage.

NICOLE. – De grâce, Monsieur, je vous prie de me laisser
rire. Hi, hi, hi !

45 **MONSIEUR JOURDAIN.** – Si je te prends…

NICOLE. – Monsieur, je crèverai, si je ne ris. Hi, hi, hi !

MONSIEUR JOURDAIN. – Mais a-t-on jamais vu une pendarde[1]
comme celle-là ? qui me vient rire insolemment au nez, au
lieu de recevoir mes ordres ?

50 **NICOLE.** – Que voulez-vous que je fasse, Monsieur ?

MONSIEUR JOURDAIN. – Que tu songes, coquine, à préparer
ma maison pour la compagnie[2] qui doit venir tantôt.

NICOLE. – Ah, par ma foi ! je n'ai plus envie de rire ; et toutes
vos compagnies font tant de désordre céans que ce mot est
55 assez pour me mettre en mauvaise humeur.

MONSIEUR JOURDAIN. – Ne dois-je point[3] pour toi fermer
ma porte à tout le monde ?

NICOLE. – Vous devriez au moins la fermer à certaines gens.

---

1. **Pendarde** : friponne, canaille.
2. **Compagnie** : ensemble d'amis.
3. **Ne dois-je point** : devrais-je.

Scène 3

MONSIEUR JOURDAIN,
LAQUAIS, NICOLE, MADAME JOURDAIN

MADAME JOURDAIN. – Ah! ah! voici une nouvelle histoire. Qu'est-ce que c'est donc, mon mari, que cet équipage[1]-là? Vous moquez-vous du monde, de vous être fait enharnacher[2] de la sorte? et avez-vous envie qu'on se raille[3] partout
5   de vous?

MONSIEUR JOURDAIN. – Il n'y a que des sots et des sottes, ma femme, qui se railleront de moi.

MADAME JOURDAIN. – Vraiment on n'a pas attendu jusqu'à cette heure, et il y a longtemps que vos façons de faire
10   donnent à rire à tout le monde.

MONSIEUR JOURDAIN. – Qui est donc tout ce monde-là, s'il vous plaît?

MADAME JOURDAIN. – Tout ce monde-là est un monde qui a raison, et qui est plus sage que vous. Pour moi, je suis scan-
15   dalisée de la vie que vous menez. Je ne sais plus ce que c'est que notre maison: on dirait qu'il est céans carême-prenant[4] tous les jours; et dès le matin, de peur d'y manquer, on y entend des vacarmes de violons et de chanteurs, dont tout le voisinage se trouve incommodé.

---

1. Équipage: accoutrement, allure étrange.
2. Enharnacher: habiller de façon grotesque.
3. Raille: moque.
4. Carême-prenant: Mardi gras (jour de carnaval marquant le début du carême dans la religion catholique et pendant lequel on se déguise).

20 **NICOLE.** – Madame parle bien. Je ne saurais plus voir mon ménage propre, avec cet attirail de gens que vous faites venir chez vous. Ils ont des pieds qui vont chercher de la boue dans tous les quartiers de la ville, pour l'apporter ici ; et la pauvre Françoise est presque sur les dents[1], à frotter
25 les planchers que vos biaux[2] maîtres viennent crotter régulièrement tous les jours.

MONSIEUR JOURDAIN. – Ouais, notre servante Nicole, vous avez le caquet bien affilé[3] pour une paysanne.

MADAME JOURDAIN. – Nicole a raison et son sens[4] est meilleur
30 que le vôtre. Je voudrais bien savoir ce que vous pensez faire d'un maître à danser à l'âge que vous avez.

NICOLE. – Et d'un grand maître tireur d'armes, qui vient, avec ses battements de pied, ébranler toute la maison, et nous déraciner tous les carriaux[5] de notre salle ?

35 **MONSIEUR JOURDAIN.** – Taisez-vous, ma servante, et ma femme.

MADAME JOURDAIN. – Est-ce que vous voulez apprendre à danser pour quand vous n'aurez plus de jambes ?

NICOLE. – Est-ce que vous avez envie de tuer quelqu'un ?

MONSIEUR JOURDAIN. – Taisez-vous, vous dis-je : vous êtes des
40 ignorantes l'une et l'autre, et vous ne savez pas les prérogatives[6] de tout cela.

---

1. **Est presque sur les dents** : est accablée de fatigue.
2. **Biaux** : beaux (patois).
3. **Le caquet bien affilé** : la langue bien pendue.
4. **Sens** : bon sens.
5. **Carriaux** : carrelage.
6. **Prérogatives** : avantages, privilèges.

MADAME JOURDAIN. – Vous devriez plutôt songer à marier votre fille, qui est en âge d'être pourvue[1].

MONSIEUR JOURDAIN. – Je songerai à marier ma fille quand
45 il se présentera un parti[2] pour elle ; mais je veux songer aussi à apprendre les belles choses.

NICOLE. – J'ai encore ouï[3] dire, Madame, qu'il a pris aujourd'hui, pour renfort de potage[4], un maître de philosophie.

50 **MONSIEUR JOURDAIN.** – Fort bien : je veux avoir de l'esprit, et savoir raisonner des choses parmi les honnêtes gens.

MADAME JOURDAIN. – N'irez-vous point l'un de ces jours au collège vous faire donner le fouet à votre âge ?

MONSIEUR JOURDAIN. – Pourquoi non ? Plût à Dieu l'avoir
55 tout à l'heure[5], le fouet, devant tout le monde, et savoir ce qu'on apprend au collège !

NICOLE. – Oui, ma foi ! cela vous rendrait la jambe bien mieux faite[6].

MONSIEUR JOURDAIN. – Sans doute.

60 **MADAME JOURDAIN.** – Tout cela est fort nécessaire pour conduire votre maison.

MONSIEUR JOURDAIN. – Assurément. Vous parlez toutes deux comme des bêtes, et j'ai honte de votre ignorance.

---

1. Pourvue : mariée.
2. Parti : prétendant intéressant.
3. Ouï : entendu.
4. Pour renfort de potage : pour couronner le tout.
5. Tout à l'heure : tout de suite.
6. Cela vous rendrait la jambe mieux faite : cela ne vous servirait pas à grand-chose.

(À Madame Jourdain :) Par exemple savez-vous, vous, ce que
⁶⁵ c'est que vous dites à cette heure ?

MADAME JOURDAIN. – Oui, je sais que ce que je dis est fort
bien dit, et que vous devriez songer à vivre d'autre sorte.

MONSIEUR JOURDAIN. – Je ne parle pas de cela. Je vous demande
ce que c'est que les paroles que vous dites ici ?

⁷⁰ **MADAME JOURDAIN.** – Ce sont des paroles bien sensées, et
votre conduite ne l'est guère.

MONSIEUR JOURDAIN. – Je ne parle pas de cela, vous dis-je.
Je vous demande : ce que je parle avec vous, ce que je vous
dis à cette heure, qu'est-ce que c'est ?

⁷⁵ **MADAME JOURDAIN.** – Des chansons[1].

MONSIEUR JOURDAIN. – Hé non ! ce n'est pas cela. Ce que
nous disons tous deux, le langage que nous parlons à cette
heure ?

MADAME JOURDAIN. – Hé bien ?

⁸⁰ **MONSIEUR JOURDAIN.** – Comment est-ce que cela s'appelle ?

MADAME JOURDAIN. – Cela s'appelle comme on veut l'appeler.

MONSIEUR JOURDAIN. – C'est de la prose, ignorante.

MADAME JOURDAIN. – De la prose ?

MONSIEUR JOURDAIN. – Oui, de la prose. Tout ce qui est prose
⁸⁵ n'est point vers ; et tout ce qui n'est point vers n'est point
prose. Heu, voilà ce que c'est d'étudier. *(À Nicole :)* Et toi,
sais-tu bien comme il faut faire pour dire un U ?

---

1. Chansons : ici, sottises.

NICOLE. – Comment?

MONSIEUR JOURDAIN. – Oui. Qu'est-ce que tu fais quand tu
90 dis un U?

NICOLE. – Quoi?

MONSIEUR JOURDAIN. – Dis un peu U, pour voir?

NICOLE. – Hé bien, U.

MONSIEUR JOURDAIN. – Qu'est-ce que tu fais?

95 **NICOLE.** – Je dis U.

MONSIEUR JOURDAIN. – Oui, mais quand tu dis U, qu'est-ce
que tu fais?

NICOLE. – Je fais ce que vous me dites.

MONSIEUR JOURDAIN. – Ô l'étrange chose que d'avoir affaire
100 à des bêtes! Tu allonges les lèvres en dehors et approches
la mâchoire d'en haut de celle d'en bas: U, vois-tu? U. Je
fais la moue: U.

NICOLE. – Oui, cela est biau.

MADAME JOURDAIN. – Voilà qui est admirable.

105 **MONSIEUR JOURDAIN.** – C'est bien autre chose, si vous aviez
vu O, et DA, DA, et FA, FA.

MADAME JOURDAIN. – Qu'est-ce que c'est donc que tout ce
galimatias[1]-là?

NICOLE. – De quoi est-ce que tout cela guérit?

---

1. **Galimatias**: discours confus.

110 **MONSIEUR JOURDAIN**. – J'enrage quand je vois des femmes ignorantes.

MADAME JOURDAIN. – Allez, vous devriez envoyer promener tous ces gens-là, avec leurs fariboles[1].

NICOLE. – Et surtout ce grand escogriffe[2] de Maître d'armes, 115 qui remplit de poudre[3] tout mon ménage.

MONSIEUR JOURDAIN. – Ouais, ce Maître d'armes vous tient fort au cœur. Je te veux faire voir ton impertinence tout à l'heure. *(Il fait apporter les fleurets et en donne un à Nicole.)* Tiens. Raison démonstrative, la ligne du corps. Quand on 120 pousse en quarte, on n'a qu'à faire cela, et quand on pousse en tierce, on n'a qu'à faire cela. Voilà le moyen de n'être jamais tué ; et cela n'est-il pas beau d'être assuré de son fait, quand on se bat contre quelqu'un ? Là, pousse-moi un peu pour voir.

125 **NICOLE**. – Hé bien, quoi ?

Nicole lui pousse plusieurs coups.

MONSIEUR JOURDAIN. – Tout beau, holà, oh ! doucement. Diantre[4] soit la coquine.

NICOLE. – Vous me dites de pousser.

MONSIEUR JOURDAIN. – Oui ; mais tu me pousses en tierce, 130 avant que de pousser en quarte, et tu n'as pas la patience que je pare.

---

1. **Fariboles** : balivernes.
2. **Escogriffe** : homme grand et maigre.
3. **Poudre** : poussière.
4. **Diantre** : au diable.

MADAME JOURDAIN. – Vous êtes fou, mon mari, avec toutes vos fantaisies[1], et cela vous est venu depuis que vous vous mêlez de hanter[2] la noblesse.

135 **MONSIEUR JOURDAIN.** – Lorsque je hante la noblesse, je fais paraître mon jugement[3], et cela est plus beau que de hanter votre bourgeoisie.

MADAME JOURDAIN. – Çamon[4] vraiment! il y a fort à gagner à fréquenter vos nobles, et vous avez bien opéré avec ce 140 beau Monsieur le Comte dont vous vous êtes embéguiné[5].

MONSIEUR JOURDAIN. – Paix! Songez à ce que vous dites. Savez-vous bien, ma femme, que vous ne savez pas de qui vous parlez, quand vous parlez de lui? C'est une personne d'importance plus que vous ne pensez, un seigneur que 145 l'on considère à la cour, et qui parle au Roi tout comme je vous parle. N'est-ce pas une chose qui m'est tout à fait honorable, que l'on voie venir chez moi si souvent une personne de cette qualité, qui m'appelle son cher ami, et me traite comme si j'étais son égal? Il a pour moi des bontés 150 qu'on ne devinerait jamais; et, devant tout le monde, il me fait des caresses[6] dont je suis moi-même confus.

MADAME JOURDAIN. – Oui, il a des bontés pour vous, et vous fait des caresses; mais il vous emprunte votre argent.

MONSIEUR JOURDAIN. – Hé bien! ne m'est-ce pas de l'honneur, 155 de prêter de l'argent à un homme de cette condition-là?

---

1. Fantaisies: idées extravagantes.
2. Hanter: fréquenter.
3. Je fais paraître mon jugement: je fais preuve d'intelligence.
4. Çamon: ah oui (populaire).
5. Embéguiné: entiché.
6. Caresses: marques d'amitié.

et puis-je faire moins pour un seigneur qui m'appelle son cher ami?

MADAME JOURDAIN. – Et ce seigneur que fait-il pour vous?

MONSIEUR JOURDAIN. – Des choses dont on serait étonné, 160 si on les savait.

MADAME JOURDAIN. – Et quoi?

MONSIEUR JOURDAIN. – Baste[1], je ne puis pas m'expliquer. Il suffit que si je lui ai prêté de l'argent, il me le rendra bien, et avant qu'il soit peu.

165 **MADAME JOURDAIN.** – Oui, attendez-vous à cela.

MONSIEUR JOURDAIN. – Assurément: ne me l'a-t-il pas dit?

MADAME JOURDAIN. – Oui, oui: il ne manquera pas d'y faillir[2].

MONSIEUR JOURDAIN. – Il m'a juré sa foi[3] de gentilhomme.

MADAME JOURDAIN. – Chansons.

170 **MONSIEUR JOURDAIN.** – Ouais, vous êtes bien obstinée, ma femme. Je vous dis qu'il tiendra parole, j'en suis sûr.

MADAME JOURDAIN. – Et moi, je suis sûre que non, et que toutes les caresses qu'il vous fait ne sont que pour vous enjôler[4].

175 **MONSIEUR JOURDAIN.** – Taisez-vous: le voici.

---

1. **Baste**: cela suffit.
2. **Faillir**: se dérober.
3. **Juré sa foi**: donné sa parole.
4. **Enjôler**: tromper par de belles paroles.

MADAME JOURDAIN. – Il ne nous faut plus que cela. Il vient peut-être encore vous faire quelque emprunt; et il me semble que j'ai dîné[1] quand je le vois.

MONSIEUR JOURDAIN. – Taisez-vous, vous dis-je.

Scène 4

MONSIEUR JOURDAIN, NICOLE,
MADAME JOURDAIN, DORANTE

DORANTE. – Mon cher ami, Monsieur Jourdain, comment vous portez-vous?

MONSIEUR JOURDAIN. – Fort bien, Monsieur, pour vous rendre mes petits services.

5   **DORANTE.** – Et Madame Jourdain que voilà, comment se porte-t-elle?

MADAME JOURDAIN. – Madame Jourdain se porte comme elle peut.

DORANTE. – Comment, Monsieur Jourdain? vous voilà le
10 plus propre[2] du monde!

MONSIEUR JOURDAIN. – Vous voyez.

---

1. Il me semble que j'ai dîné: il me coupe l'appétit (expression figurée).
2. Propre: bien vêtu.

DORANTE. – Vous avez tout à fait bon air[1] avec cet habit, et nous n'avons point de jeunes gens à la cour qui soient mieux faits que vous.

15 **MONSIEUR JOURDAIN.** – Hay, hay.

MADAME JOURDAIN, *à part.* – Il le gratte par où il se démange[2].

DORANTE. – Tournez-vous. Cela est tout à fait galant.

MADAME JOURDAIN. – Oui, aussi sot par-derrière que par-devant.

20 **DORANTE.** – Ma foi ! Monsieur Jourdain, j'avais une impatience étrange[3] de vous voir. Vous êtes l'homme du monde que j'estime le plus, et je parlais de vous encore ce matin dans la chambre du Roi.

MONSIEUR JOURDAIN. – Vous me faites beaucoup d'honneur,
25 Monsieur. *(À Madame Jourdain :)* Dans la chambre du Roi !

DORANTE. – Allons, mettez[4]…

MONSIEUR JOURDAIN. – Monsieur, je sais le respect que je vous dois.

DORANTE. – Mon Dieu ! mettez : point de cérémonie entre
30 nous, je vous prie.

MONSIEUR JOURDAIN. – Monsieur…

DORANTE. – Mettez, vous dis-je, Monsieur Jourdain : vous êtes mon ami.

---

1. **Bon air** : belle allure.
2. **Il le gratte par où il se démange** : il lui dit ce qu'il a envie d'entendre.
3. **Étrange** : extraordinaire.
4. **Mettez** : remettez votre chapeau. À l'époque, les hommes retiraient leur chapeau pour saluer leur interlocuteur.

MONSIEUR JOURDAIN. – Monsieur, je suis votre serviteur.

35 **DORANTE.** – Je ne me couvrirai point, si vous ne vous couvrez.

MONSIEUR JOURDAIN. – J'aime mieux être incivil[1] qu'importun[2].

DORANTE. – Je suis votre débiteur[3], comme vous le savez.

MADAME JOURDAIN. – Oui, nous ne le savons que trop.

DORANTE. – Vous m'avez généreusement prêté de l'argent
40 en plusieurs occasions, et vous m'avez obligé[4] de la meilleure grâce[5] du monde, assurément.

MONSIEUR JOURDAIN. – Monsieur, vous vous moquez.

DORANTE. – Mais je sais rendre ce qu'on me prête, et reconnaître les plaisirs qu'on me fait.

45 **MONSIEUR JOURDAIN.** – Je n'en doute point, Monsieur.

DORANTE. – Je veux sortir d'affaire avec vous[6], et je viens
ici pour faire nos comptes ensemble.

MONSIEUR JOURDAIN. – Hé bien ! vous voyez votre impertinence, ma femme.

50 **DORANTE.** – Je suis homme qui aime à m'acquitter[7] le plus
tôt que je puis.

MONSIEUR JOURDAIN. – Je vous le disais bien.

DORANTE. – Voyons un peu ce que je vous dois.

---

1. Incivil : impoli.
2. Importun : désagréable.
3. Débiteur : personne qui doit de l'argent.
4. Obligé : rendu service.
5. Grâce : ici, amabilité.
6. Sortir d'affaire avec vous : régler la dette que j'ai envers vous.
7. M'acquitter : payer mes dettes.

MONSIEUR JOURDAIN. – Vous voilà, avec vos soupçons ridicules.

55 **DORANTE.** – Vous souvenez-vous bien de tout l'argent que vous m'avez prêté ?

MONSIEUR JOURDAIN. – Je crois que oui. J'en ai fait un petit mémoire[1]. Le voici. Donné à vous une fois deux cents louis[2].

DORANTE. – Cela est vrai.

60 **MONSIEUR JOURDAIN.** – Une autre fois, six-vingts[3].

DORANTE. – Oui.

MONSIEUR JOURDAIN. – Et une autre fois, cent quarante.

DORANTE. – Vous avez raison.

MONSIEUR JOURDAIN. – Ces trois articles font quatre cent 65 soixante louis, qui valent cinq mille soixante livres.

DORANTE. – Le compte est fort bon. Cinq mille soixante livres.

MONSIEUR JOURDAIN. – Mille huit cent trente-deux livres à votre plumassier[4].

DORANTE. – Justement.

70 **MONSIEUR JOURDAIN.** – Deux mille sept cent quatre-vingts livres à votre tailleur.

DORANTE. – Il est vrai.

_____

1. **Mémoire** : liste.
2. Au XVIIᵉ siècle, on utilise comme unités de monnaie des louis, des livres, des pistoles, des sols et des deniers.
3. **Six-vingts** : cent vingt (6 × 20).
4. **Plumassier** : marchand de plumes pour les chapeaux.

MONSIEUR JOURDAIN. – Quatre mille trois cent septante-neuf[1] livres douze sols huit deniers à votre marchand.

75 **DORANTE.** – Fort bien. Douze sols huit deniers : le compte est juste.

MONSIEUR JOURDAIN. – Et mille sept cent quarante-huit livres sept sols quatre deniers à votre sellier[2].

DORANTE. – Tout cela est véritable. Qu'est-ce que cela fait ?

80 **MONSIEUR JOURDAIN.** – Somme totale, quinze mille huit cents livres.

DORANTE. – Somme totale est juste : quinze mille huit cents livres. Mettez encore deux cents pistoles que vous m'allez donner, cela fera justement dix-huit mille francs, que je 85 vous paierai au premier jour.

MADAME JOURDAIN. – Hé bien ! ne l'avais-je pas bien deviné ?

MONSIEUR JOURDAIN. – Paix !

DORANTE. – Cela vous incommodera[3]-t-il, de me donner ce que je vous dis ?

90 **MONSIEUR JOURDAIN.** – Eh non !

MADAME JOURDAIN. – Cet homme-là fait de vous une vache à lait[4].

MONSIEUR JOURDAIN. – Taisez-vous.

---

1. Septante-neuf : soixante-dix-neuf.
2. Sellier : artisan qui travaille le cuir.
3. Incommodera : gênera.
4. Vache à lait : personne à qui l'on soutire facilement de l'argent.

DORANTE. – Si cela vous incommode, j'en irai chercher
95 ailleurs.

MONSIEUR JOURDAIN. – Non, Monsieur.

MADAME JOURDAIN. – Il ne sera pas content, qu'il ne vous
ait ruiné.

MONSIEUR JOURDAIN. – Taisez-vous, vous dis-je.

100 **DORANTE.** – Vous n'avez qu'à me dire si cela vous embarrasse.

MONSIEUR JOURDAIN. – Point, Monsieur.

MADAME JOURDAIN. – C'est un vrai enjôleux[1].

MONSIEUR JOURDAIN. – Taisez-vous donc.

MADAME JOURDAIN. – Il vous sucera jusqu'au dernier sou[2].

105 **MONSIEUR JOURDAIN.** – Vous tairez-vous?

DORANTE. – J'ai force[3] gens qui m'en prêteraient avec joie;
mais, comme vous êtes mon meilleur ami, j'ai cru que je
vous ferais tort si j'en demandais à quelque autre.

MONSIEUR JOURDAIN. – C'est trop d'honneur, Monsieur, que
110 vous me faites. Je vais quérir[4] votre affaire.

MADAME JOURDAIN. – Quoi? vous allez encore lui donner cela?

---

1. **Enjôleux**: personne qui fait perdre le sens des réalités à force de flatteries.
2. **Il vous sucera jusqu'au dernier sou**: il vous prendra tout votre argent.
3. **Force**: beaucoup de.
4. **Quérir**: chercher.

Monsieur Jourdain. – Que faire ? Voulez-vous que je refuse un homme de cette condition-là, qui a parlé de moi ce matin dans la chambre du Roi ?

115 **Madame Jourdain.** – Allez, vous êtes une vraie dupe[1].

Scène 5

Nicole, Madame Jourdain, Dorante

Dorante. – Vous me semblez toute mélancolique[2] : qu'avez-vous, Madame Jourdain ?

Madame Jourdain. – J'ai la tête plus grosse que le poing et si[3] elle n'est pas enflée.

5 **Dorante.** – Mademoiselle votre fille, où est-elle, que je ne la vois point ?

Madame Jourdain. – Mademoiselle ma fille est bien où elle est.

Dorante. – Comment se porte-t-elle ?

10 **Madame Jourdain.** – Elle se porte sur ses deux jambes.

Dorante. – Ne voulez-vous point, un de ces jours, venir voir, avec elle, le ballet et la comédie que l'on fait chez le Roi ?

---

1. Dupe : personne qu'il est facile de tromper.
2. Mélancolique : triste.
3. Et si : et pourtant.

MADAME JOURDAIN. – Oui, vraiment, nous avons fort envie de rire, fort envie de rire nous avons.

15 **DORANTE.** – Je pense, Madame Jourdain, que vous avez eu bien des amants[1], dans votre jeune âge, belle et d'agréable humeur comme vous étiez.

MADAME JOURDAIN. – Tredame[2], Monsieur, est-ce que Madame Jourdain est décrépite[3], et la tête lui grouille-t-elle déjà[4]?

20 **DORANTE.** – Ah! ma foi! Madame Jourdain, je vous demande pardon. Je ne songeais pas que vous êtes jeune, et je rêve[5] le plus souvent. Je vous prie d'excuser mon impertinence.

Scène 6
NICOLE, MADAME JOURDAIN, DORANTE, MONSIEUR JOURDAIN

MONSIEUR JOURDAIN. – Voilà deux cents louis bien comptés.

DORANTE. – Je vous assure, Monsieur Jourdain, que je suis tout à vous, et que je brûle de vous rendre un service à la cour.

5 **MONSIEUR JOURDAIN.** – Je vous suis trop obligé.

---

1. Amants : soupirants, prétendants.
2. Tredame : exclamation marquant l'opposition.
3. Décrépite : âgée.
4. La tête lui grouille-t-elle déjà : perd-elle déjà la tête.
5. Rêve : ici, suis distrait.

DORANTE. – Si Madame Jourdain veut voir le divertissement royal[1], je lui ferai donner les meilleures places de la salle.

MADAME JOURDAIN. – Madame Jourdain vous baise les mains[2].

DORANTE, *bas, à Monsieur Jourdain.* – Notre belle marquise,
10 comme je vous ai mandé[3] par mon billet, viendra tantôt ici pour le ballet et le repas, et je l'ai fait consentir[4] enfin au cadeau que vous lui voulez donner.

MONSIEUR JOURDAIN. – Tirons-nous un peu plus loin, pour cause[5].

15 **DORANTE.** – Il y a huit jours que je ne vous ai vu, et je ne vous ai point mandé de nouvelles du diamant que vous me mîtes entre les mains pour lui en faire présent de votre part; mais c'est que j'ai eu toutes les peines du monde à vaincre son scrupule[6], et ce n'est que d'aujourd'hui qu'elle
20 s'est résolue[7] à l'accepter.

MONSIEUR JOURDAIN. – Comment l'a-t-elle trouvé?

DORANTE. – Merveilleux; et je me trompe fort, ou la beauté de ce diamant fera pour vous sur son esprit un effet admirable.

MONSIEUR JOURDAIN. – Plût au Ciel!

25 **MADAME JOURDAIN.** – Quand il est une fois avec lui, il ne peut le quitter.

---

1. Divertissement royal: spectacle donné à la cour pour le roi.
2. Vous baise les mains: formule de refus.
3. Mandé: ici, informé.
4. Consentir: accepter.
5. Tirons-nous [...] pour cause: éloignons-nous à cause de la présence de Madame Jourdain.
6. Scrupule: hésitation, réticence.
7. S'est résolue: s'est décidée.

DORANTE. – Je lui ai fait valoir comme il faut la richesse de ce présent et la grandeur de votre amour.

MONSIEUR JOURDAIN. – Ce sont, Monsieur, des bontés qui
30 m'accablent; et je suis dans une confusion la plus grande du monde, de voir une personne de votre qualité s'abaisser pour moi à ce que vous faites.

DORANTE. – Vous moquez-vous? est-ce qu'entre amis on s'arrête à ces sortes de scrupules? et ne feriez-vous pas pour
35 moi la même chose, si l'occasion s'en offrait?

MONSIEUR JOURDAIN. – Ho! assurément, et de très grand cœur.

MADAME JOURDAIN. – Que sa présence me pèse sur les épaules!

DORANTE. – Pour moi, je ne regarde rien[1] quand il faut servir un ami; et lorsque vous me fîtes confidence de l'ardeur
40 que vous aviez prise pour cette marquise agréable chez qui j'avais commerce[2], vous vîtes que d'abord[3] je m'offris de moi-même à servir votre amour.

MONSIEUR JOURDAIN. – Il est vrai, ce sont des bontés qui me confondent.

45 **MADAME JOURDAIN.** – Est-ce qu'il ne s'en ira point?

NICOLE. – Ils se trouvent bien ensemble.

DORANTE. – Vous avez pris le bon biais[4] pour toucher son cœur: les femmes aiment surtout les dépenses qu'on fait pour elles; et vos fréquentes sérénades, et vos bouquets

---

1. Je ne regarde rien: je ne me laisse arrêter par rien.
2. Chez qui j'avais commerce: avec laquelle j'étais en relation.
3. D'abord: aussitôt.
4. Biais: moyen.

50 continuels, ce superbe feu d'artifice qu'elle trouva sur l'eau, le diamant qu'elle a reçu de votre part, et le cadeau que vous lui préparez, tout cela lui parle bien mieux en faveur de votre amour que toutes les paroles que vous auriez pu lui dire vous-même.

55 MONSIEUR JOURDAIN. – Il n'y a point de dépenses que je ne fisse, si par-là je pouvais trouver le chemin de son cœur. Une femme de qualité a pour moi des charmes ravissants, et c'est un honneur que j'achèterais au prix de toute chose.

MADAME JOURDAIN. – Que peuvent-ils tant dire ensemble ? 60 Va-t'en un peu tout doucement prêter l'oreille.

DORANTE. – Ce sera tantôt que vous jouirez à votre aise du plaisir de sa vue, et vos yeux auront tout le temps de se satisfaire.

MONSIEUR JOURDAIN. – Pour être en pleine liberté, j'ai fait 65 en sorte que ma femme ira dîner[1] chez ma sœur, où elle passera toute l'après-dînée.

DORANTE. – Vous avez fait prudemment, et votre femme aurait pu nous embarrasser. J'ai donné pour vous l'ordre qu'il faut au cuisinier, et à toutes les choses qui sont néces-70 saires pour le ballet. Il est de mon invention ; et pourvu que l'exécution puisse répondre à l'idée, je suis sûr qu'il sera trouvé…

MONSIEUR JOURDAIN, *s'aperçoit que Nicole écoute, et lui donne un soufflet*. – Ouais, vous êtes bien impertinente. Sortons, 75 s'il vous plaît.

---

1. **Dîner** : au XVIIᵉ siècle, déjeuner.

Scène 7

NICOLE, MADAME JOURDAIN

NICOLE. – Ma foi ! Madame, la curiosité m'a coûté quelque chose ; mais je crois qu'il y a quelque anguille sous roche, et ils parlent de quelque affaire où ils ne veulent pas que vous soyez.

5 **MADAME JOURDAIN.** – Ce n'est pas d'aujourd'hui, Nicole, que j'ai conçu des soupçons de mon mari. Je suis la plus trompée du monde[1], ou il y a quelque amour en campagne[2], et je travaille à découvrir ce que ce peut être. Mais songeons à ma fille. Tu sais l'amour que Cléonte a pour elle. C'est un
10 homme qui me revient[3], et je veux aider sa recherche[4], et lui donner Lucile, si je puis.

NICOLE. – En vérité, Madame, je suis la plus ravie du monde de vous voir dans ces sentiments ; car, si le maître vous revient, le valet ne me revient pas moins, et je souhaiterais
15 que notre mariage se pût faire à l'ombre du leur.

MADAME JOURDAIN. – Va-t'en lui parler de ma part, et lui dire que tout à l'heure il me vienne trouver, pour faire ensemble à mon mari la demande de ma fille.

---

1. **Je suis la plus trompée du monde** : je me trompe grandement.
2. **En campagne** : en préparation.
3. **Revient** : plaît.
4. **Recherche** : efforts d'un homme pour épouser une femme.

NICOLE. – J'y cours, Madame, avec joie, et je ne pouvais
20 recevoir une commission plus agréable. Je vais, je pense,
bien réjouir les gens.

Scène 8

NICOLE, CLÉONTE, COVIELLE

NICOLE. – Ah ! vous voilà tout à propos. Je suis une ambassadrice de joie, et je viens…

CLÉONTE. – Retire-toi, perfide[1], et ne me viens point amuser[2]
avec tes traîtresses paroles.

5 NICOLE. – Est-ce ainsi que vous recevez ?…

CLÉONTE. – Retire-toi, te dis-je, et va t'en dire de ce pas à
ton infidèle maîtresse qu'elle n'abusera de sa vie[3] le trop
simple Cléonte.

NICOLE. – Quel vertigo[4] est-ce donc là ? Mon pauvre Covielle,
10 dis-moi un peu ce que cela veut dire.

COVIELLE. – Ton pauvre Covielle, petite scélérate ! Allons
vite, ôte-toi de mes yeux, vilaine, et me laisse en repos.

NICOLE. – Quoi ? tu me viens aussi…

---

1. **Perfide** : traîtresse.
2. **Amuser** : ici, distraire.
3. **N'abusera de sa vie** : ne trompera pas durant toute sa vie.
4. **Vertigo** : caprice, fantaisie.

COVIELLE. – Ôte-toi de mes yeux, te dis-je, et ne me parle
15 de ta vie.

NICOLE. – Ouais ! Quelle mouche les a piqués tous deux ?
Allons de cette belle histoire informer ma maîtresse.

Scène 9
CLÉONTE, COVIELLE

CLÉONTE. – Quoi ? traiter un amant de la sorte, et un amant
le plus fidèle et le plus passionné de tous les amants ?

COVIELLE. – C'est une chose épouvantable, que ce qu'on
nous fait à tous deux.

5 **CLÉONTE.** – Je fais voir pour une personne toute l'ardeur
et toute la tendresse qu'on peut imaginer ; je n'aime rien
au monde qu'elle, et je n'ai qu'elle dans l'esprit ; elle fait
tous mes soins[1], tous mes désirs, toute ma joie ; je ne parle
que d'elle, je ne pense qu'à elle, je ne fais des songes que
10 d'elle, je ne respire que par elle, mon cœur vit tout en
elle : et voilà de tant d'amitié[2] la digne récompense ! Je suis
deux jours sans la voir, qui sont pour moi deux siècles
effroyables : je la rencontre par hasard ; mon cœur, à cette
vue, se sent tout transporté, ma joie éclate sur mon visage,

---

1. **Elle fait tous mes soins** : elle est tout pour moi.
2. **Amitié** : ici, amour.

15 je vole avec ravissement[1] vers elle ; et l'infidèle détourne de moi ses regards, et passe brusquement, comme si de sa vie elle ne m'avait vu !

COVIELLE. – Je dis les mêmes choses que vous.

CLÉONTE. – Peut-on voir rien d'égal, Covielle, à cette per-
20 fidie de l'ingrate Lucile ?

COVIELLE. – Et à celle, Monsieur, de la pendarde de Nicole ?

CLÉONTE. – Après tant de sacrifices ardents, de soupirs, et de vœux que j'ai faits à ses charmes !

COVIELLE. – Après tant d'assidus[2] hommages, de soins et
25 de services que je lui ai rendus dans sa cuisine !

CLÉONTE. – Tant de larmes que j'ai versées à ses genoux !

COVIELLE. – Tant de seaux d'eau que j'ai tirés au puits pour elle !

CLÉONTE. – Tant d'ardeur que j'ai fait paraître à la chérir
30 plus que moi-même !

COVIELLE. – Tant de chaleur que j'ai soufferte à tourner la broche à sa place !

CLÉONTE. – Elle me fuit avec mépris !

COVIELLE. – Elle me tourne le dos avec effronterie !

35 CLÉONTE. – C'est une perfidie digne des plus grands châtiments.

COVIELLE. – C'est une trahison à mériter mille soufflets.

---

1. **Ravissement** : grande joie.
2. **Assidus** : réguliers, répétés.

CLÉONTE. – Ne t'avise point, je te prie, de me parler jamais pour elle[1].

40 COVIELLE. – Moi, Monsieur! Dieu m'en garde!

CLÉONTE. – Ne viens point m'excuser l'action de cette infidèle.

COVIELLE. – N'ayez pas peur.

CLÉONTE. – Non, vois-tu, tous tes discours pour la défendre ne serviront de rien.

45 COVIELLE. – Qui songe à cela?

CLÉONTE. – Je veux contre elle conserver mon ressentiment[2], et rompre ensemble tout commerce[3].

COVIELLE. – J'y consens.

CLÉONTE. – Ce Monsieur le Comte qui va chez elle lui donne 50 peut-être dans la vue[4]; et son esprit, je le vois bien, se laisse éblouir à la qualité[5]. Mais il me faut, pour mon honneur, prévenir l'éclat de son inconstance[6]. Je veux faire autant de pas qu'elle au changement[7] où je la vois courir, et ne lui laisser pas toute la gloire de me quitter.

55 COVIELLE. – C'est fort bien dit, et j'entre pour mon compte dans tous vos sentiments.

---

1. **Pour elle**: en sa faveur.
2. **Ressentiment**: colère.
3. **Commerce**: relation.
4. **Lui donne peut-être dans la vue**: l'impressionne favorablement.
5. **À la qualité**: en raison de sa noblesse.
6. **Prévenir l'éclat de son inconstance**: éviter le scandale que provoquerait son infidélité.
7. **Je veux faire autant de pas qu'elle au changement**: je veux évoluer dans le même sens qu'elle.

CLÉONTE. – Donne la main à mon dépit[1], et soutiens ma résolution contre tous les restes d'amour qui me pourraient parler pour elle. Dis-m'en, je t'en conjure, tout le mal que
60 tu pourras ; fais-moi de sa personne une peinture qui me la rende méprisable ; et marque-moi bien, pour m'en dégoûter, tous les défauts que tu peux voir en elle.

COVIELLE. – Elle, Monsieur ! voilà une belle mijaurée[2], une pimpesouée[3] bien bâtie, pour vous donner tant d'amour !
65 Je ne lui vois rien que de très médiocre, et vous trouverez cent personnes qui seront plus dignes de vous. Première-ment, elle a les yeux petits.

CLÉONTE. – Cela est vrai, elle a les yeux petits ; mais elle les a pleins de feux, les plus brillants, les plus perçants du
70 monde, les plus touchants qu'on puisse voir.

COVIELLE. – Elle a la bouche grande.

CLÉONTE. – Oui ; mais on y voit des grâces qu'on ne voit point aux autres bouches ; et cette bouche, en la voyant, inspire des désirs, est la plus attrayante, la plus amoureuse
75 du monde.

COVIELLE. – Par sa taille, elle n'est pas grande.

CLÉONTE. – Non ; mais elle est aisée et bien prise[4].

COVIELLE. – Elle affecte une nonchalance dans son parler, et dans ses actions.

---

1. **Donne la main à mon dépit** : viens en aide à mon chagrin mêlé de colère.
2. **Mijaurée** : femme prétentieuse.
3. **Pimpesouée** : femme qui joue à la coquette.
4. **Aisée et bien prise** : souple et jolie.

80   **CLÉONTE.** – Il est vrai; mais elle a grâce à tout cela[1], et ses manières sont engageantes[2], ont je ne sais quel charme à s'insinuer dans les cœurs.

COVIELLE. – Pour de l'esprit…

CLÉONTE. – Ah! elle en a, Covielle, du plus fin, du plus
85   délicat.

COVIELLE. – Sa conversation…

CLÉONTE. – Sa conversation est charmante.

COVIELLE. – Elle est toujours sérieuse.

CLÉONTE. – Veux-tu de ces enjouements[3] épanouis, de ces
90   joies toujours ouvertes[4]? et vois-tu rien de plus impertinent que des femmes qui rient à tout propos?

COVIELLE. – Mais enfin elle est capricieuse autant que personne du monde.

CLÉONTE. – Oui, elle est capricieuse, j'en demeure d'accord;
95   mais tout sied bien aux belles, on souffre tout des belles.

COVIELLE. – Puisque cela va comme cela, je vois bien que vous avez envie de l'aimer toujours.

CLÉONTE. – Moi, j'aimerais mieux mourir; et je vais la haïr autant que je l'ai aimée.

100   **COVIELLE.** – Le moyen, si vous la trouvez si parfaite?

---

1. **Elle a grâce à tout cela**: elle le fait avec grâce.
2. **Engageantes**: agréables, attirantes.
3. **Enjouements**: manifestations de gaieté exagérées.
4. **Ouvertes**: manifestées bruyamment.

CLÉONTE. – C'est en quoi ma vengeance sera plus éclatante, en quoi je veux faire mieux voir la force de mon cœur, à la haïr, à la quitter, toute belle, toute pleine d'attraits[1], toute aimable que je la trouve. La voici.

Scène 10
CLÉONTE, COVIELLE, LUCILE, NICOLE

NICOLE. – Pour moi, j'en ai été toute scandalisée.

LUCILE. – Ce ne peut être, Nicole, que ce que je te dis. Mais le voilà.

CLÉONTE. – Je ne veux pas seulement[2] lui parler.

5   COVIELLE. – Je veux vous imiter.

LUCILE. – Qu'est-ce donc, Cléonte ? qu'avez-vous ?

NICOLE. – Qu'as-tu donc, Covielle ?

LUCILE. – Quel chagrin vous possède ?

NICOLE. – Quelle mauvaise humeur te tient ?

10   LUCILE. – Êtes-vous muet, Cléonte ?

NICOLE. – As-tu perdu la parole, Covielle ?

—————————

1. **Attraits** : charmes.
2. **Seulement** : même.

CLÉONTE. – Que voilà qui est scélérat !

COVIELLE. – Que cela est Judas[1] !

LUCILE. – Je vois bien que la rencontre de tantôt[2] a troublé votre esprit.

CLÉONTE. – Ah ! ah ! on voit ce qu'on a fait.

NICOLE. – Notre accueil de ce matin t'a fait prendre la chèvre[3].

COVIELLE. – On a deviné l'enclouure[4].

LUCILE. – N'est-il pas vrai, Cléonte, que c'est là le sujet de votre dépit ?

CLÉONTE. – Oui, perfide, ce l'est, puisqu'il faut parler ; et j'ai à vous dire que vous ne triompherez pas comme vous pensez de votre infidélité, que je veux être le premier à rompre avec vous, et que vous n'aurez pas l'avantage de me chasser. J'aurai de la peine, sans doute, à vaincre l'amour que j'ai pour vous, cela me causera des chagrins, je souffrirai un temps ; mais j'en viendrai à bout, et je me percerai plutôt le cœur que d'avoir la faiblesse de retourner à vous.

COVIELLE. – Queussi, queumi[5].

LUCILE. – Voilà bien du bruit pour un rien. Je veux vous dire, Cléonte, le sujet qui m'a fait ce matin éviter votre abord[6].

CLÉONTE. – Non, je ne veux rien écouter.

---

1. Judas : traître. L'expression fait référence à la Bible : dans le Nouveau Testament, Judas est l'homme qui trahit Jésus.

2. Tantôt : ce matin.

3. Prendre la chèvre : se fâcher.

4. Enclouure : point sensible (au sens propre : blessure causée par un clou).

5. Queussi, queumi : de même pour moi.

6. M'a fait [...] éviter votre abord : m'a empêché de vous saluer.

NICOLE. – Je te veux apprendre la cause qui nous a fait passer si vite.

35 COVIELLE. – Je ne veux rien entendre.

LUCILE. – Sachez que ce matin…

CLÉONTE. – Non, vous dis-je.

NICOLE. – Apprends que…

COVIELLE. – Non, traîtresse.

40 LUCILE. – Écoutez.

CLÉONTE. – Point d'affaire[1].

NICOLE. – Laissez-moi dire.

COVIELLE. – Je suis sourd.

LUCILE. – Cléonte !

45 CLÉONTE. – Non.

NICOLE. – Covielle.

COVIELLE. – Point.

LUCILE. – Arrêtez.

CLÉONTE. – Chansons.

50 NICOLE. – Entends-moi.

COVIELLE. – Bagatelles.

LUCILE. – Un moment.

CLÉONTE. – Point du tout.

---

1. **Point d'affaire** : il n'en est pas question.

NICOLE. – Un peu de patience.

55 **COVIELLE.** – Tarare[1].

LUCILE. – Deux paroles.

CLÉONTE. – Non, c'en est fait.

NICOLE. – Un mot.

COVIELLE. – Plus de commerce[2].

60 **LUCILE.** – Hé bien ! puisque vous ne voulez pas m'écouter, demeurez dans votre pensée, et faites ce qu'il vous plaira.

NICOLE. – Puisque tu fais comme cela, prends-le tout comme tu voudras.

CLÉONTE. – Sachons donc le sujet d'un si bel accueil.

65 **LUCILE.** – Il ne me plaît plus de le dire.

COVIELLE. – Apprends-nous un peu cette histoire.

NICOLE. – Je ne veux plus, moi, te l'apprendre.

CLÉONTE. – Dites-moi…

LUCILE. – Non, je ne veux rien dire.

70 **COVIELLE.** – Conte-moi…

NICOLE. – Non, je ne conte rien.

CLÉONTE. – De grâce.

LUCILE. – Non, vous dis-je.

COVIELLE. – Par charité.

---

1. Tarare : interjection familière marquant le dédain et le refus.
2. Plus de commerce : trêve de discussion.

75 **NICOLE.** – Point d'affaire.

CLÉONTE. – Je vous en prie.

LUCILE. – Laissez-moi.

COVIELLE. – Je t'en conjure.

NICOLE. – Ôte-toi de là.

80 **CLÉONTE.** – Lucile.

LUCILE. – Non.

COVIELLE. – Nicole.

NICOLE. – Point.

CLÉONTE. – Au nom des dieux !

85 **LUCILE.** – Je ne veux pas.

COVIELLE. – Parle-moi.

NICOLE. – Point du tout.

CLÉONTE. – Éclaircissez mes doutes.

LUCILE. – Non, je n'en ferai rien.

90 **COVIELLE.** – Guéris-moi l'esprit.

NICOLE. – Non, il ne me plaît pas.

CLÉONTE. – Hé bien ! puisque vous vous souciez si peu de me tirer de peine, et de vous justifier du traitement indigne que vous avez fait à ma flamme[1], vous me voyez, ingrate, pour la dernière fois, et je vais loin de vous mourir de douleur et d'amour.

---

1. **Flamme** : amour.

COVIELLE. – Et moi, je vais suivre ses pas.

LUCILE. – Cléonte.

NICOLE. – Covielle.

100 **CLÉONTE**. – Eh ?

COVIELLE. – Plaît-il ?

LUCILE. – Où allez-vous ?

CLÉONTE. – Où je vous ai dit.

COVIELLE. – Nous allons mourir.

105 **LUCILE**. – Vous allez mourir, Cléonte ?

CLÉONTE. – Oui, cruelle, puisque vous le voulez.

LUCILE. – Moi, je veux que vous mouriez ?

CLÉONTE. – Oui, vous le voulez.

LUCILE. – Qui vous le dit ?

110 **CLÉONTE**. – N'est-ce pas le vouloir, que ne vouloir pas éclaircir mes soupçons.

LUCILE. – Est-ce ma faute ? et si vous aviez voulu m'écouter, ne vous aurais-je pas dit que l'aventure dont vous vous plaignez a été causée ce matin par la présence d'une vieille
115 tante, qui veut à toute force que la seule approche d'un homme déshonore une fille, qui perpétuellement nous sermonne sur ce chapitre, et nous figure[1] tous les hommes comme des diables qu'il faut fuir ?

NICOLE. – Voilà le secret de l'affaire.

---

1. Figure : présente, décrit.

120 **CLÉONTE.** – Ne me trompez-vous point, Lucile ?

COVIELLE. – Ne m'en donnes-tu point à garder[1] ?

LUCILE. – Il n'est rien de plus vrai.

NICOLE. – C'est la chose comme elle est.

COVIELLE. – Nous rendrons-nous à cela[2] ?

125 **CLÉONTE.** – Ah ! Lucile, qu'avec un mot de votre bouche vous savez apaiser de choses dans mon cœur ! et que facilement on se laisse persuader aux personnes[3] qu'on aime !

COVIELLE. – Qu'on est aisément amadoué[4] par ces diantres d'animaux-là !

Scène 11

CLÉONTE, COVIELLE, LUCILE,
NICOLE, MADAME JOURDAIN

MADAME JOURDAIN. – Je suis bien aise de vous voir, Cléonte, et vous voilà tout à propos. Mon mari vient ; prenez vite votre temps[5] pour lui demander Lucile en mariage.

---

1. Ne m'en donnes-tu point à garder : ne me trompes-tu pas.
2. Nous rendrons-nous à cela : serons-nous convaincus par ces arguments.
3. Aux personnes : par les personnes.
4. Amadoué : attendri.
5. Prenez vite votre temps : profitez du moment.

CLÉONTE. – Ah ! Madame, que cette parole m'est douce, et
⁵ qu'elle flatte mes désirs ! Pouvais-je recevoir un ordre plus
charmant, une faveur plus précieuse ?

Scène 12

CLÉONTE, COVIELLE, LUCILE, NICOLE,
MADAME JOURDAIN, MONSIEUR JOURDAIN

CLÉONTE. – Monsieur, je n'ai voulu prendre personne pour
vous faire une demande que je médite il y a longtemps. Elle
me touche assez pour m'en charger moi-même ; et, sans
autre détour, je vous dirai que l'honneur d'être votre gendre
⁵ est une faveur glorieuse que je vous prie de m'accorder.

MONSIEUR JOURDAIN. – Avant que de vous rendre réponse,
Monsieur, je vous prie de me dire si vous êtes gentilhomme.

CLÉONTE. – Monsieur, la plupart des gens sur cette question
n'hésitent pas beaucoup. On tranche le mot aisément[1]. Ce
¹⁰ nom ne fait aucun scrupule à prendre, et l'usage aujourd'hui
semble en autoriser le vol. Pour moi, je vous avoue, j'ai les
sentiments sur cette matière un peu plus délicats ; je trouve
que toute imposture[2] est indigne d'un honnête homme, et
qu'il y a de la lâcheté à déguiser ce que le Ciel nous a fait
¹⁵ naître, à se parer aux yeux du monde d'un titre dérobé,

---

1. **On tranche le mot aisément** : on emploie le mot facilement.
2. **Imposture** : tromperie, mensonge.

à se vouloir donner pour ce qu'on n'est pas. Je suis né de parents, sans doute, qui ont tenu des charges honorables[1]. Je me suis acquis dans les armes l'honneur de six ans de services, et je me trouve assez de bien[2] pour tenir dans le monde un rang assez passable. Mais, avec tout cela, je ne veux point me donner un nom où d'autres en ma place croiraient pouvoir prétendre, et je vous dirai franchement que je ne suis point gentilhomme.

MONSIEUR JOURDAIN. – Touchez là[3], Monsieur : ma fille n'est pas pour vous.

CLÉONTE. – Comment ?

MONSIEUR JOURDAIN. – Vous n'êtes point gentilhomme, vous n'aurez pas ma fille.

MADAME JOURDAIN. – Que voulez-vous donc dire avec votre gentilhomme ? Est-ce que nous sommes, nous autres, de la côte de saint Louis[4] ?

MONSIEUR JOURDAIN. – Taisez-vous, ma femme : je vous vois venir.

MADAME JOURDAIN. – Descendons-nous tous deux que de bonne bourgeoisie[5] ?

MONSIEUR JOURDAIN. – Voilà pas le coup de langue[6] ?

---

1. **Qui ont tenu des charges honorables** : qui ont exercé des métiers honnêtes.
2. **Assez de bien** : suffisamment riche.
3. **Touchez là** : serrons-nous la main.
4. **Est-ce que nous sommes [...] de la côte de saint Louis** : descendons-nous de saint Louis (c'est-à-dire de la plus haute noblesse).
5. **Descendons-nous tous deux que de bonne bourgeoisie** : n'avons-nous pas des bourgeois pour seuls ancêtres.
6. **Coup de langue** : médisance.

MADAME JOURDAIN. – Et votre père n'était-il pas marchand aussi bien que le mien ?

MONSIEUR JOURDAIN. – Peste soit de la femme ! Elle n'y a
40   jamais manqué[1]. Si votre père a été marchand, tant pis pour lui ; mais pour le mien, ce sont des malavisés[2] qui disent cela. Tout ce que j'ai à vous dire, moi, c'est que je veux avoir un gendre gentilhomme.

MADAME JOURDAIN. – Il faut à votre fille un mari qui lui soit
45   propre[3], et il vaut mieux pour elle un honnête homme riche et bien fait, qu'un gentilhomme gueux et mal bâti.

NICOLE. – Cela est vrai. Nous avons le fils du gentilhomme de notre village, qui est le plus grand malitorne[4] et le plus sot dadais que j'aie jamais vu.

50   **MONSIEUR JOURDAIN.** – Taisez-vous, impertinente. Vous vous fourrez toujours dans la conversation. J'ai du bien assez pour ma fille, je n'ai besoin que d'honneur, et je la veux faire marquise.

MADAME JOURDAIN. – Marquise ?

55   **MONSIEUR JOURDAIN.** – Oui, marquise.

MADAME JOURDAIN. – Hélas ! Dieu m'en garde !

MONSIEUR JOURDAIN. – C'est une chose que j'ai résolue.

MADAME JOURDAIN. – C'est une chose, moi, où je ne consentirai point. Les alliances avec plus grand que soi sont sujettes

---

1. **Elle n'y a jamais manqué** : elle ne m'épargne rien.
2. **Malavisés** : personnes mal renseignées ou mal intentionnées.
3. **Qui lui soit propre** : qui lui convienne.
4. **Malitorne** : grossier.

60 toujours à de fâcheux inconvénients. Je ne veux point qu'un gendre puisse à ma fille reprocher ses parents, et qu'elle ait des enfants qui aient honte de m'appeler leur grand-maman. S'il fallait qu'elle me vînt visiter en équipage de grand-dame[1], et qu'elle manquât par mégarde à saluer

65 quelqu'un du quartier, on ne manquerait pas aussitôt de dire cent sottises. «Voyez-vous, dirait-on, cette Madame la Marquise qui fait tant la glorieuse[2]? c'est la fille de Monsieur Jourdain, qui était trop heureuse, étant petite, de jouer à la madame avec nous. Elle n'a pas toujours été si relevée[3]

70 que la voilà, et ses deux grands-pères vendaient du drap auprès de la porte Saint-Innocent. Ils ont amassé du bien à leurs enfants, qu'ils payent maintenant peut-être bien cher en l'autre monde, et l'on ne devient guère si riches à être honnêtes gens.» Je ne veux point tous ces caquets[4] et je

75 veux un homme, en un mot, qui m'ait obligation[5] de ma fille, et à qui je puisse dire: «Mettez-vous là, mon gendre, et dînez avec moi.»

MONSIEUR JOURDAIN. – Voilà bien les sentiments d'un petit esprit, de vouloir demeurer toujours dans la bassesse. Ne

80 me répliquez pas davantage: ma fille sera marquise en dépit de tout le monde; et si vous me mettez en colère, je la ferai duchesse[6].

---

1. **En équipage de grand-dame**: avec le train de vie d'une femme noble.
2. **Glorieuse**: fière.
3. **Relevée**: hautaine.
4. **Caquets**: commérages, bavardages.
5. **Obligation**: reconnaissance.
6. **Duchesse**: titre de noblesse plus élevé que celui de marquise.

Madame Jourdain. – Cléonte, ne perdez point courage encore. Suivez-moi, ma fille, et venez dire résolument à
votre père que si vous ne l'avez, vous ne voulez épouser personne.

Scène 13

Cléonte, Covielle

Covielle. – Vous avez fait de belles affaires avec vos beaux sentiments.

Cléonte. – Que veux-tu ? j'ai un scrupule là-dessus, que l'exemple ne saurait vaincre[1].

Covielle. – Vous moquez-vous, de le prendre sérieusement avec un homme comme cela ? Ne voyez-vous pas qu'il est fou ? et vous coûtait-il quelque chose de vous accommoder à ses chimères[2] ?

Cléonte. – Tu as raison ; mais je ne croyais pas qu'il fallût faire ses preuves de noblesse pour être gendre de Monsieur Jourdain.

Covielle. – Ah, ah, ah !

Cléonte. – De quoi ris-tu ?

---

1. J'ai un scrupule là-dessus, que l'exemple ne saurait vaincre : j'ai des principes que j'applique, même si cela me cause des ennuis.
2. Chimères : idées folles, illusions.

COVIELLE. – D'une pensée qui me vient pour jouer[1] notre
15 homme, et vous faire obtenir ce que vous souhaitez.

CLÉONTE. – Comment?

COVIELLE. – L'idée est tout à fait plaisante.

CLÉONTE. – Quoi donc?

COVIELLE. – Il s'est fait depuis peu une certaine mascarade[2]
20 qui vient le mieux du monde ici, et que je prétends faire
entrer dans une bourle[3] que je veux faire à notre ridicule.
Tout cela sent un peu sa comédie; mais avec lui on peut
hasarder toute chose, il n'y faut point chercher tant de
façons, et il est homme à y jouer son rôle à merveille, à
25 donner aisément dans toutes les fariboles qu'on s'avisera
de lui dire. J'ai les acteurs, j'ai les habits tout prêts: laissez-
moi faire seulement.

CLÉONTE. – Mais apprends-moi…

COVIELLE. – Je vais vous instruire de tout. Retirons-nous,
30 le voilà qui revient.

---

1. **Jouer**: ici, tromper.
2. **Mascarade**: divertissement où les participants sont masqués.
3. **Bourle**: tromperie.

Scène 14

MONSIEUR JOURDAIN, LAQUAIS

MONSIEUR JOURDAIN. – Que diable est-ce là! Ils n'ont rien que les grands seigneurs à me reprocher; et moi, je ne vois rien de si beau que de hanter les grands seigneurs: il n'y a qu'honneur et que civilité avec eux, et je voudrais qu'il m'eût coûté deux doigts de la main, et être né comte ou marquis.

LAQUAIS. – Monsieur, voici Monsieur le Comte, et une dame qu'il mène par la main.

MONSIEUR JOURDAIN. – Hé mon Dieu! j'ai quelques ordres à donner. Dis-leur que je vais venir ici tout à l'heure.

Scène 15

LAQUAIS, DORIMÈNE, DORANTE

LAQUAIS. – Monsieur dit comme cela qu'il va venir ici tout à l'heure.

DORANTE. – Voilà qui est bien.

DORIMÈNE. – Je ne sais pas, Dorante, je fais encore ici une étrange démarche, de me laisser amener par vous dans une maison où je ne connais personne.

DORANTE. – Quel lieu voulez-vous donc, Madame, que mon amour choisisse pour vous régaler[1], puisque, pour fuir l'éclat[2], vous ne voulez ni votre maison, ni la mienne ?

10 **DORIMÈNE.** – Mais vous ne dites pas que je m'engage[3] insensiblement, chaque jour, à recevoir de trop grands témoignages de votre passion ? J'ai beau me défendre des choses, vous fatiguez ma résistance, et vous avez une civile opiniâtreté[4] qui me fait venir doucement à tout ce qu'il 15 vous plaît. Les visites fréquentes ont commencé ; les déclarations sont venues ensuite, qui après elles ont traîné[5] les sérénades et les cadeaux que les présents ont suivis. Je me suis opposée à tout cela, mais vous ne vous rebutez[6] point, et pied à pied vous gagnez[7] mes résolutions. Pour moi, je 20 ne puis plus répondre de rien, et je crois qu'à la fin vous me ferez venir au mariage, dont je me suis tant éloignée.

DORANTE. – Ma foi ! Madame, vous y devriez déjà être. Vous êtes veuve, et ne dépendez que de vous. Je suis maître de moi, et vous aime plus que ma vie. À quoi tient-il que dès 25 aujourd'hui vous ne fassiez tout mon bonheur ?

DORIMÈNE. – Mon Dieu ! Dorante, il faut des deux parts[8] bien des qualités pour vivre heureusement ensemble ; et les deux plus raisonnables personnes du monde ont souvent peine à composer une union dont ils soient satisfaits.

---

1. **Régaler** : offrir un bon repas.
2. **Fuir l'éclat** : agir dans la discrétion.
3. **Je m'engage** : je sors de ma réserve, je montre que vous ne m'êtes pas indifférent.
4. **Civile opiniâtreté** : aimable insistance.
5. **Traîné** : entraîné.
6. **Rebutez** : découragez.
7. **Gagnez** : venez à bout.
8. **Parts** : côtés.

30 **DORANTE.** – Vous vous moquez, Madame, de vous y figurer tant de difficultés ; et l'expérience que vous avez faite ne conclut rien pour tous les autres.

DORIMÈNE. – Enfin, j'en reviens toujours là : les dépenses que je vous vois faire pour moi m'inquiètent par deux rai-
35 sons : l'une, qu'elles m'engagent plus que je ne voudrais ; et l'autre, que je suis sûre, sans vous déplaire, que vous ne les faites point que vous ne vous incommodiez[1] ; et je ne veux point cela.

DORANTE. – Ah ! Madame, ce sont des bagatelles[2] ; et ce
40 n'est pas par là…

DORIMÈNE. – Je sais ce que je dis ; et, entre autres, le diamant que vous m'avez forcée à prendre est d'un prix…

DORANTE. – Eh ! Madame, de grâce, ne faites point tant valoir une chose que mon amour trouve indigne de vous ;
45 et souffrez… Voici le maître du logis.

Scène 16

LAQUAIS, DORIMÈNE, DORANTE, MONSIEUR JOURDAIN

MONSIEUR JOURDAIN, *après avoir fait deux révérences, se trouvant trop près de Dorimène.* – Un peu plus loin, Madame.

---

1. **Incommodiez** : mettiez en difficulté financière.
2. **Bagatelles** : détails sans importance.

DORIMÈNE. – Comment?

MONSIEUR JOURDAIN. – Un pas, s'il vous plaît.

5 **DORIMÈNE.** – Quoi donc?

MONSIEUR JOURDAIN. – Reculez un peu, pour la troisième.

DORANTE. – Madame, Monsieur Jourdain sait son monde[1].

MONSIEUR JOURDAIN. – Madame, ce m'est une gloire bien grande de me voir assez fortuné[2] pour être si heureux que
10 d'avoir le bonheur que vous ayez eu la bonté de m'accorder la grâce de me faire l'honneur de m'honorer de la faveur de votre présence; et si j'avais aussi le mérite pour mériter un mérite comme le vôtre, et que le Ciel… envieux de mon bien… m'eût accordé… l'avantage de me voir digne… des…

15 **DORANTE.** – Monsieur Jourdain, en voilà assez: Madame n'aime pas les grands compliments, et elle sait que vous êtes homme d'esprit. *(Bas, à Dorimène:)* C'est un bon bourgeois assez ridicule, comme vous voyez, dans toutes ses manières.

DORIMÈNE. – Il n'est pas malaisé[3] de s'en apercevoir.

20 **DORANTE.** – Madame, voilà le meilleur de mes amis.

MONSIEUR JOURDAIN. – C'est trop d'honneur que vous me faites.

DORANTE. – Galant homme tout à fait.

DORIMÈNE. – J'ai beaucoup d'estime pour lui.

---

1. Sait son monde: sait comment se comporter dans la haute société (ironique).
2. Fortuné: ici, chanceux.
3. Malaisé: difficile.

25 **MONSIEUR JOURDAIN**. – Je n'ai rien fait encore, Madame, pour mériter cette grâce.

DORANTE, *bas, à Monsieur Jourdain.* – Prenez garde au moins à ne lui point parler du diamant que vous lui avez donné.

MONSIEUR JOURDAIN. – Ne pourrais-je pas seulement lui
30 demander comment elle le trouve ?

DORANTE. – Comment ? gardez-vous-en bien : cela serait vilain[1] à vous, et pour agir en galant homme, il faut que vous fassiez comme si ce n'était pas vous qui lui eussiez fait ce présent. Monsieur Jourdain, Madame, dit qu'il est ravi
35 de vous voir chez lui.

DORIMÈNE. – Il m'honore beaucoup.

MONSIEUR JOURDAIN. – Que je vous suis obligé, Monsieur, de lui parler ainsi pour moi !

DORANTE. – J'ai eu une peine effroyable à la faire venir ici.

40 **MONSIEUR JOURDAIN**. – Je ne sais quelles grâces[2] vous en rendre.

DORANTE. – Il dit, Madame, qu'il vous trouve la plus belle personne du monde.

DORIMÈNE. – C'est bien de la grâce qu'il me fait.

45 **MONSIEUR JOURDAIN**. – Madame, c'est vous qui faites les grâces[3] ; et…

---

1. Vilain : impoli, grossier.
2. Grâces : remerciements, contreparties.
3. Monsieur Jourdain répond familièrement en employant le pluriel (« faire les grâces ») au lieu du singulier (« faire la grâce »).

DORANTE. – Songeons à manger.

LAQUAIS. – Tout est prêt, Monsieur.

DORANTE. – Allons donc nous mettre à table, et qu'on fasse
50 venir les musiciens.

*Six cuisiniers, qui ont préparé le festin, dansent ensemble, et
font le troisième intermède ; après quoi ils apportent une table
couverte de plusieurs mets.*

Un quiz pour commencer

Cochez les bonnes réponses.

1 *Comment réagit Nicole lorsqu'elle voit son maître avec son nouvel habit ?*

- ❏ Elle se moque de lui.
- ❏ Elle est impressionnée.
- ❏ Elle se montre indifférente.

2 *Que pense Madame Jourdain de la conduite de son mari ?*

- ❏ Elle la trouve louable.
- ❏ Elle estime qu'elle entraîne trop de dépenses.
- ❏ Elle la juge ridicule.

3 *Pourquoi Madame Jourdain se méfie-t-elle de Dorante ?*

- ❏ Parce qu'il est noble.
- ❏ Parce qu'il emprunte trop d'argent à son mari.
- ❏ Parce qu'il lui fait la cour.

4 *Quel mariage préoccupe Madame Jourdain ?*

- ❏ Le mariage de Nicole et de Covielle.
- ❏ Le mariage de Lucile et de Dorante.
- ❏ Le mariage de Lucile et de Cléonte.

5 *Dans quel but Monsieur Jourdain organise-t-il un dîner ?*

- ❏ Pour remercier Dorante.
- ❏ Pour séduire Dorimène.
- ❏ Pour réconcilier ses maîtres.

6 *Pourquoi Cléonte et Lucile se disputent-ils ?*

- ❏ Parce que Cléonte croit que Lucile ne l'aime plus.
- ❏ Parce que Lucile parle trop de Dorante.
- ❏ Parce que Cléonte part en voyage.

7 *Pour quelle raison Monsieur Jourdain ne veut-il pas de Cléonte comme gendre ?*

- ❏ Parce que Cléonte n'est pas noble.
- ❏ Parce que Cléonte n'est pas amoureux de Lucile.
- ❏ Parce que Cléonte est pauvre.

8 *Pourquoi Dorante invite-t-il Dorimène chez Monsieur Jourdain ?*

- ❏ Parce que la maison de Dorante est trop petite.
- ❏ Parce que les voisins de Dorante sont bruyants.
- ❏ Parce que Monsieur Jourdain finance le repas.

Des questions pour aller plus loin

→ *Étudier la progression de l'intrigue*

Un personnage bercé d'illusions

1 Dans la scène 2, pourquoi le rire de Nicole met-il Monsieur Jourdain en colère ? Est-il plus satisfait des déclarations de sa servante à la fin de la scène ?

2 Dans les lignes 1 à 61 de la scène 3, relevez les différents reproches que Nicole et Madame Jourdain adressent à Monsieur Jourdain. Pourquoi peut-on dire que ces deux personnages représentent le bon sens ?

3 Relisez les lignes 62 à 131. En quoi Monsieur Jourdain est-il comique dans ce passage et quelle image donne-t-il de lui-même ?

4 Que signifie l'expression « Il le gratte par où il se démange » (p. 74, l. 16) ? Par quelles flatteries Dorante maintient-il Monsieur Jourdain dans l'illusion ?

5 Sur quel défaut de Dorante Madame Jourdain attire-t-elle l'attention de son mari ? Les scènes suivantes lui donnent-elles raison ?

Un mariage contrarié

6 Dans les scènes 9 et 10, comment s'exprime le dépit amoureux chez Cléonte et Covielle ? Sur quel quiproquo repose-t-il ?

7 Dans la scène 12, à quel obstacle se heurte Cléonte ? En quoi sa tirade des lignes 8 à 23 aggrave-t-elle sa situation ?

8 Relevez les arguments qu'utilise Madame Jourdain pour défendre Cléonte. Parvient-elle à faire changer d'avis son mari ?

9 Dans la scène 13, en quoi la conversation entre Covielle et Cléonte est-elle importante pour la suite de l'intrigue amoureuse ?

Zoom sur la scène 16 (p. 106-109)

10 Comment Monsieur Jourdain reçoit-il Dorimène ? Que pensez-vous de cet accueil ?

11 À l'aide des didascalies, expliquez le double jeu de Dorante. Quelles manœuvres permettent à ce personnage de ne pas se faire démasquer ?

12 Dorante a déclaré son amour à Dorimène dans la scène 15. Comment peut-on donc qualifier son comportement ici ?

13 En quoi le double jeu de Dorante et la naïveté de Monsieur Jourdain sont-ils sources de comique ?

✔ Rappelez-vous !

• L'acte III fait considérablement avancer l'action car de nouveaux personnages, Nicole et Madame Jourdain, viennent contester le comportement fantasque de Monsieur Jourdain. Des **conflits** s'annoncent puisque Monsieur Jourdain s'oppose au mariage de Lucile et de Cléonte, et qu'il se révèle amoureux de la même marquise que Dorante.

• Les **rebondissements** de l'action offrent des **situations de comédie** mettant en œuvre tous les types de comique (comiques de mots, de caractère, de situation et de geste), pour le plus grand plaisir du spectateur.

De la lecture à l'écriture

 Des mots pour mieux écrire

1 *Reliez chaque phrase de Madame Jourdain au sens correspondant.*

« le Comte dont vous vous êtes embéguiné. » (p. 71, l. 140)

« Vous devriez envoyer promener tous ces gens-là avec leurs fariboles. » (p. 70, l. 112-113)

« [Il] vous fait des caresses. » (p. 71, l. 152-153)

« Il le gratte par où il se démange. » (p. 74, l. 16)

« Cet homme-là fait de vous une vache à lait. » (p. 77, l. 91-93)

« C'est un vrai enjôleux. » (p. 78, l. 102)

Cet homme ne cessera de vous soutirer de l'argent.

Il vous flatte en vous disant des choses agréables à entendre.

Le Comte que vous avez pris en trop grande affection.

C'est une personne qui use de son charme pour mieux vous tromper.

Il vous dit ce que vous voulez entendre.

Vous devriez renvoyer ces personnes qui vous racontent des mensonges.

2 **a. *Retrouvez le nom commun correspondant à chacun des adjectifs suivants. Vous pouvez vous aider d'un dictionnaire.***

| candide | confiant | crédule | ingénu | innocent |

b. *Précisez à quel champ lexical appartiennent ces mots.*

3 ***Complétez les verbes suivants qui sont des synonymes de « duper ».***

abu___   ber___   flou__

se jou__   leu____   trom___   rou___

✍ À vous d'écrire

1 Cléonte explique à Lucile sa réaction lorsque Monsieur Jourdain a refusé sa demande en mariage.

Consigne. Votre dialogue, d'une quinzaine de lignes, respectera la présentation d'une scène de théâtre. Il mettra en valeur la tristesse et l'incompréhension de Cléonte, qui condamnera la naïveté du père de sa fiancée pour enfin la rassurer sur la persistance de son amour. N'oubliez pas d'intégrer les réponses réconfortantes de Lucile et de rédiger des didascalies.

2 Vous est-il arrivé de tenter de sortir quelqu'un d'une illusion ?

Consigne. Vous répondrez à cette question dans un paragraphe d'une quinzaine de lignes. Vous préciserez de quelle illusion il s'agissait, la stratégie que vous avez mise en place et ce qui est advenu finalement. Pour conclure, vous indiquerez la leçon que vous avez tirée de cette anecdote.

Du texte à l'image

Histoire des arts

• Monsieur Jourdain (Pascal Rénéric) et Nicole (Manon Combes) dans la mise en scène de Denis Podalydès, théâtre des Bouffes du Nord, Paris, 2012.
• Dorimène (Cécile Brune), Monsieur Jourdain (Andrzej Sewerin) et Dorante (Roger Mollien) dans la mise en scène de Jean-Louis Benoît, Comédie-Française, Paris, 2001.
➡ **Images reproduites dans le cahier photos, page III.**

👁 *Lire l'image*

1 Identifiez le maître et les serviteurs sur la photographie du haut. Dites quels indices vous ont permis de répondre. Pourquoi peut-on cependant parler d'une inversion des rapports sociaux ?

2 Décrivez l'attitude des trois personnages sur la photographie du bas. Quelles relations entre eux le metteur en scène a-t-il choisi de mettre en valeur ?

📄 *Comparer le texte et l'image*

3 Quel passage de l'acte III reconnaissez-vous dans la photographie du haut ? Quelle liberté le metteur en scène a-t-il prise par rapport au texte et pourquoi ?

4 À quel passage de l'acte IV la photographie du bas peut-elle correspondre ? Quels traits du caractère de Dorimène, de Dorante et de Monsieur Jourdain illustre-t-elle ?

5 Dans les deux photographies, le rire des personnages vous paraît-il bienveillant à l'égard de Monsieur Jourdain ? Pourquoi ?

🖊 À vous de créer

6 🖉 Sur le site **www.citation-celebre.com**, cherchez trois citations sur le thème de la flatterie. La première sera de François de La Rochefoucauld, grand moraliste du xviie siècle, la deuxième de Madame de Sévigné, célèbre épistolière de l'époque de Molière et la troisième d'un auteur plus contemporain. Vous rédigerez ensuite un court texte expliquant le sens de chacune des citations. Puis vous présenterez devant vos camarades la citation que vous préférez en justifiant votre choix.

:

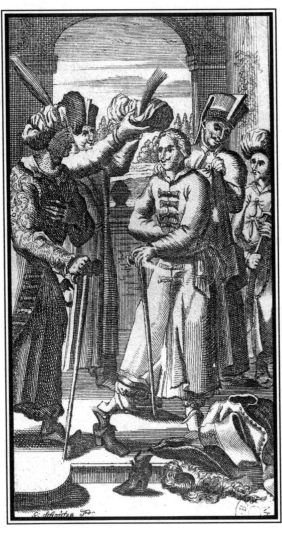

S. Schouten, illustration pour une édition
du *Bourgeois gentilhomme*, gravure, 1697.

ACTE IV

Scène 1

DORIMÈNE, DORANTE, MONSIEUR JOURDAIN,
DEUX MUSICIENS, UNE MUSICIENNE, LAQUAIS

DORIMÈNE. – Comment, Dorante ? voilà un repas tout à fait magnifique !

MONSIEUR JOURDAIN. – Vous vous moquez, Madame, et je voudrais qu'il fût plus digne de vous être offert.

Tous se mettent à table.

5 **DORANTE.** – Monsieur Jourdain a raison, Madame, de parler de la sorte, et il m'oblige[1] de vous faire si bien les honneurs de chez lui. Je demeure d'accord avec lui que le repas n'est pas digne de vous. Comme c'est moi qui l'ai ordonné, et que je n'ai pas sur cette matière les lumières
10 de nos amis, vous n'avez pas ici un repas fort savant, et vous y trouverez des incongruités de bonne chère[2], et des

---

1. M'oblige : me fait plaisir.
2. Incongruités de bonne chère : fautes de goût culinaires.

barbarisme[1] de bon goût. Si Damis s'en était mêlé, tout serait dans les règles ; il y aurait partout de l'élégance et de l'érudition[2], et il ne manquerait pas de vous exagérer[3]

[15] lui-même toutes les pièces du repas qu'il vous donnerait, et de vous faire tomber d'accord de sa haute capacité dans la science des bons morceaux, de vous parler d'un pain de rive à biseau doré[4], relevé de croûte partout, croquant tendrement sous la dent ; d'un vin à sève veloutée, armé

[20] d'un vert qui n'est point trop commandant[5], d'un carré de mouton gourmandé[6] de persil ; d'une longe de veau de rivière[7], longue comme cela, blanche, délicate, et qui sous les dents est une vraie pâte d'amande ; de perdrix relevées d'un fumet[8] surprenant ; et pour son opéra[9], d'une soupe

[25] à bouillon perlé[10], soutenue d'un jeune gros dindon cantonné[11] de pigeonneaux, et couronnée d'oignons blancs mariés avec la chicorée[12]. Mais pour moi, je vous avoue mon ignorance ; et comme Monsieur Jourdain a fort bien dit, je voudrais que le repas fût plus digne de vous être offert.

[30] **DORIMÈNE.** – Je ne réponds à ce compliment qu'en mangeant comme je fais.

---

1. **Barbarismes** : fautes de langage.
2. **Érudition** : grand savoir.
3. **Exagérer** : mettre en valeur.
4. **Pain de rive à biseau doré** : pain bien doré de tous les côtés.
5. **Vin [...] commandant** : vin jeune dont l'acidité n'est pas trop marquée.
6. **Gourmandé** : agrémenté.
7. **Longe de veau de rivière** : morceau d'un veau élevé dans les prairies qui bordent la Seine.
8. **Fumet** : odeur agréable.
9. **Opéra** : ici, point culminant, chef-d'œuvre.
10. **Bouillon perlé** : bouillon à base de jus de viande qui accompagne un potage.
11. **Cantonné** : accompagné.
12. **Chicorée** : plante dont on mange les feuilles en salade.

Monsieur Jourdain. – Ah! que voilà de belles mains!

Dorimène. – Les mains sont médiocres, Monsieur Jourdain; mais vous voulez parler du diamant, qui est fort beau.

35 **Monsieur Jourdain**. – Moi, Madame! Dieu me garde d'en vouloir parler, ce ne serait pas agir en galant homme, et le diamant est fort peu de chose.

Dorimène. – Vous êtes bien dégoûté[1].

Monsieur Jourdain. – Vous avez trop de bonté…

40 **Dorante**. – Allons, qu'on donne du vin à Monsieur Jourdain, et à ces messieurs, qui nous feront la grâce de nous chanter un air à boire.

Dorimène. – C'est merveilleusement assaisonner la bonne chère[2] que d'y mêler la musique, et je me vois ici admira-
45 blement régalée.

Monsieur Jourdain. – Madame, ce n'est pas…

Dorante. – Monsieur Jourdain, prêtons silence à ces messieurs; ce qu'ils nous diront vaudra mieux que tout ce que nous pourrions dire.

> *Les Musiciens et la Musicienne prennent des verres,*
> *chantent deux chansons à boire, et sont soutenus*
> *de toute la symphonie.*

---

1. **Dégoûté** : ici, difficile.
2. **Bonne chère** : bon repas.

Première chanson à boire

50 *Un petit doigt[1], Philis, pour commencer le tour[2].*
Ah! qu'un verre en vos mains a d'agréables charmes!
Vous et le vin, vous vous prêtez des armes,
Et je sens pour tous deux redoubler mon amour:
Entre lui, vous et moi, jurons, jurons, ma belle,
55 *Une ardeur éternelle.*

Qu'en mouillant votre bouche il en reçoit d'attraits,
Et que l'on voit par lui votre bouche embellie!
Ah! l'un de l'autre, ils me donnent envie,
Et de vous et de lui je m'enivre à longs traits:
60 *Entre lui, vous et moi, jurons, jurons, ma belle,*
Une ardeur éternelle.

Seconde chanson à boire

Buvons, chers amis, buvons:
Le temps qui fuit nous y convie;
Profitons de la vie
65 *Autant que nous pouvons.*
Quand on a passé l'onde noire[3],
Adieu le bon vin, nos amours;
Dépêchons-nous de boire,
On ne boit pas toujours.

70 *Laissons raisonner les sots*
Sur le vrai bonheur de la vie;

---

1. **Petit doigt**: ici, petite quantité.
2. **Tour**: tournée.
3. **Quand on a passé l'onde noire**: quand on est mort. L'expression fait allusion au Styx, la rivière du monde des ombres dans la mythologie grecque.

> *Notre philosophie*
> *Le met parmi les pots.*
> *Les biens, le savoir et la gloire*
> *N'ôtent point les soucis fâcheux,*
> *Et ce n'est qu'à bien boire*
> *Que l'on peut être heureux.*

75

Sus[1], sus, du vin partout, versez, garçons, versez,
Versez, versez toujours, tant qu'on[2] vous dise assez.

80 **DORIMÈNE.** – Je ne crois pas qu'on puisse mieux chanter, et cela est tout à fait beau.

MONSIEUR JOURDAIN. – Je vois encore ici, Madame, quelque chose de plus beau.

DORIMÈNE. – Ouais ! Monsieur Jourdain est galant plus que je ne pensais.

85

DORANTE. – Comment, Madame ? pour qui prenez-vous Monsieur Jourdain ?

MONSIEUR JOURDAIN. – Je voudrais bien qu'elle me prît pour ce que je dirais !

90 **DORIMÈNE.** – Encore !

DORANTE. – Vous ne le connaissez pas.

MONSIEUR JOURDAIN. – Elle me connaîtra quand il lui plaira.

DORIMÈNE. – Oh ! je le quitte[3].

---

1. **Sus** : allez.
2. **Tant qu'on** : jusqu'à ce qu'on.
3. **Je le quitte** : ici, j'abandonne.

DORANTE. – Il est homme qui a toujours la riposte[1] en main.
Mais vous ne voyez pas que Monsieur Jourdain, Madame,
mange tous les morceaux que vous touchez.

DORIMÈNE. – Monsieur Jourdain est un homme qui me ravit.

MONSIEUR JOURDAIN. – Si je pouvais ravir votre cœur, je serais…

Scène 2

DORIMÈNE, DORANTE,
MONSIEUR JOURDAIN, MADAME JOURDAIN,
MUSICIENS, MUSICIENNES, LAQUAIS

MADAME JOURDAIN. – Ah, ah ! je trouve ici bonne compagnie,
et je vois bien qu'on ne m'y attendait pas. C'est donc pour
cette belle affaire-ci, Monsieur mon mari, que vous avez eu
tant d'empressement à m'envoyer dîner chez ma sœur ?
Je viens de voir un théâtre là-bas, et je vois ici un banquet
à faire noces. Voilà comme vous dépensez votre bien, et
c'est ainsi que vous festinez[2] les dames en mon absence,
et que vous leur donnez la musique et la comédie, tandis
que vous m'envoyez promener ?

DORANTE. – Que voulez-vous dire, Madame Jourdain ? et
quelles fantaisies[3] sont les vôtres, de vous aller mettre en

---

1. **Riposte** : répartie.
2. **Festinez** : offrez des festins.
3. **Fantaisies** : idées folles.

tête que votre mari dépense son bien, et que c'est lui qui donne ce régale à Madame ? Apprenez que c'est moi, je vous prie ; qu'il ne fait seulement que me prêter sa maison, et que vous devriez un peu mieux regarder aux choses que vous dites.

MONSIEUR JOURDAIN. – Oui, impertinente, c'est Monsieur le Comte qui donne tout ceci à Madame, qui est une personne de qualité. Il me fait l'honneur de prendre ma maison, et de vouloir que je sois avec lui.

MADAME JOURDAIN. – Ce sont des chansons que cela : je sais ce que je sais.

DORANTE. – Prenez, Madame Jourdain, prenez de meilleures lunettes.

MADAME JOURDAIN. – Je n'ai que faire de lunettes, Monsieur, et je vois assez clair ; il y a longtemps que je sens les choses, et je ne suis pas une bête. Cela est fort vilain à vous, pour un grand seigneur, de prêter la main comme vous faites aux sottises de mon mari. Et vous, Madame, pour une grand-dame, cela n'est ni beau ni honnête à vous, de mettre la dissension dans un ménage[1], et de souffrir[2] que mon mari soit amoureux de vous.

DORIMÈNE. – Que veut donc dire tout ceci ? Allez, Dorante, vous vous moquez, de m'exposer aux sottes visions de cette extravagante.

DORANTE. – Madame, holà ! Madame, où courez-vous ?

---

1. **Dissension dans un ménage** : désaccord, discorde dans un couple.
2. **Souffrir** : tolérer.

MONSIEUR JOURDAIN. – Madame! Monsieur le Comte, faites-lui excuses, et tâchez de la ramener. Ah! impertinente que vous êtes! voilà de vos beaux faits; vous me venez faire des affronts devant tout le monde, et vous chassez de chez moi des personnes de qualité.

MADAME JOURDAIN. – Je me moque de leur qualité.

MONSIEUR JOURDAIN. – Je ne sais qui me tient, maudite, que je ne vous fende la tête avec les pièces du repas que vous êtes venue troubler.

On ôte la table.

MADAME JOURDAIN, *sortant.* – Je me moque de cela. Ce sont mes droits que je défends, et j'aurai pour moi toutes les femmes.

MONSIEUR JOURDAIN. – Vous faites bien d'éviter ma colère. Elle est arrivée là bien malheureusement. J'étais en humeur de dire de jolies choses, et jamais je ne m'étais senti tant d'esprit. Qu'est-ce que c'est que cela?

Scène 3

MONSIEUR JOURDAIN,
COVIELLE *déguisé*, LAQUAIS

COVIELLE. – Monsieur, je ne sais pas si j'ai l'honneur d'être connu de vous.

MONSIEUR JOURDAIN. – Non, Monsieur.

COVIELLE. – Je vous ai vu que vous n'étiez pas plus grand que cela.

MONSIEUR JOURDAIN. – Moi !

COVIELLE. – Oui, vous étiez le plus bel enfant du monde, et toutes les dames vous prenaient dans leurs bras pour vous baiser[1].

MONSIEUR JOURDAIN. – Pour me baiser !

COVIELLE. – Oui. J'étais grand ami de feu[2] Monsieur votre père.

MONSIEUR JOURDAIN. – De feu Monsieur mon père !

COVIELLE. – Oui. C'était un fort honnête gentilhomme.

MONSIEUR JOURDAIN. – Comment dites-vous ?

COVIELLE. – Je dis que c'était un fort honnête gentilhomme.

MONSIEUR JOURDAIN. – Mon père !

COVIELLE. – Oui.

---

1. Baiser : embrasser.
2. Feu : expression signifiant que la personne dont on parle est décédée.

MONSIEUR JOURDAIN. – Vous l'avez fort connu ?

20 **COVIELLE.** – Assurément.

MONSIEUR JOURDAIN. – Et vous l'avez connu pour[1] gentilhomme ?

COVIELLE. – Sans doute.

MONSIEUR JOURDAIN. – Je ne sais donc pas comment le
25 monde est fait.

COVIELLE. – Comment ?

MONSIEUR JOURDAIN. – Il y a de sottes gens qui me veulent
dire qu'il a été marchand.

COVIELLE. – Lui marchand ! C'est pure médisance, il ne l'a
30 jamais été. Tout ce qu'il faisait, c'est qu'il était fort obligeant[2], fort officieux[3] ; et comme il se connaissait fort bien
en étoffes, il en allait choisir de tous les côtés, les faisait
apporter chez lui, et en donnait à ses amis pour de l'argent.

MONSIEUR JOURDAIN. – Je suis ravi de vous connaître, afin
35 que vous rendiez ce témoignage-là, que mon père était
gentilhomme.

COVIELLE. – Je le soutiendrai devant tout le monde.

MONSIEUR JOURDAIN. – Vous m'obligerez. Quel sujet vous
amène ?

---

1. **Pour** : comme étant.
2. **Obligeant** : aimable.
3. **Officieux** : serviable.

La comédie-ballet

Mise en scène de Laurent Serrano (acte I, scène 2), Studio-Théâtre, Asnières, 2012.
➡ **Voir lecture d'images p. 173.**

Mise en scène de Catherine Hiegel (acte III, scène 3), théâtre de la Porte-Saint-Martin,
Paris, 2012.
➡ **Voir lecture d'images p. 173.**

I

Flatteries, moqueries et manipulations au cœur de la pièce

Monsieur Jourdain
(Olivier Martin) et
le maître de philosophie
(Benjamin Lazar)
dans la mise en scène
de Benjamin Lazar
(acte II, scène 4),
théâtre du Trianon,
Versailles, 2004.
➡ **Voir lecture d'images
p. 59.**

Monsieur Jourdain
(François Morel) dans
la mise en scène
de Catherine Hiegel
(acte II, scène 5),
théâtre de la
Porte-Saint-Martin,
Paris, 2012.
➡ **Voir lecture
d'images p. 54.**

Dorimène (Cécile Brune), Monsieur Jourdain (Andrzej Sewerin) et Dorante (Roger Mollien) dans la mise en scène de Jean-Louis Benoît (acte IV, scène 1), Comédie-Française, Paris, 2001.
➡ Voir lecture d'images p. 116-117.

Les représentations de l'Orient au temps de Molière

Rembrandt, *Portrait d'un Oriental*, huile sur bois, 1635, Rijksmuseum, Amsterdam.
➡ **Voir lecture d'images p. 171.**

Jacopo Ligozzi, *Un homme avec un turban, un livre et un flamand*, aquarelle réalisée pour un ouvrage d'ethnologie, 1600, Florence.
➡ **Voir lecture d'images p. 171.**

Antoine Coypel, *Louis XIV reçoit dans la galerie des Glaces de Versailles Mehmet Raza-Bey, ambassadeur extraordinaire du Chah de Perse*, huile sur toile, 1715, château de Versailles.
➡ **Voir lecture d'images p. 54.**

40 COVIELLE. – Depuis avoir connu feu Monsieur votre père, honnête gentilhomme, comme je vous ai dit, j'ai voyagé par tout le monde.

MONSIEUR JOURDAIN. – Par tout le monde !

COVIELLE. – Oui.

45 MONSIEUR JOURDAIN. – Je pense qu'il y a bien loin en ce pays-là[1].

COVIELLE. – Assurément. Je ne suis revenu de tous mes longs voyages que depuis quatre jours ; et par l'intérêt que je prends à tout ce qui vous touche, je viens vous annoncer

50 la meilleure nouvelle du monde.

MONSIEUR JOURDAIN. – Quelle ?

COVIELLE. – Vous savez que le fils du Grand Turc est ici ?

MONSIEUR JOURDAIN. – Moi ? Non.

COVIELLE. – Comment ? il a un train[2] tout à fait magnifique ;

55 tout le monde le va voir, et il a été reçu en ce pays comme un seigneur d'importance.

MONSIEUR JOURDAIN. – Par ma foi ! je ne savais pas cela.

COVIELLE. – Ce qu'il y a d'avantageux pour vous, c'est qu'il est amoureux de votre fille.

60 MONSIEUR JOURDAIN. – Le fils du Grand Turc ?

COVIELLE. – Oui ; et il veut être votre gendre.

MONSIEUR JOURDAIN. – Mon gendre, le fils du Grand Turc !

---

1. **Il y a bien loin en ce pays-là** : cela me semble bien loin.
2. **Train** : style de vie.

COVIELLE. – Le fils du Grand Turc, votre gendre. Comme je le fus voir, et que j'entends parfaitement sa langue, il s'entretint avec moi; et, après quelques autres discours, il me dit: «*Acciam croc soler ouch alla moustaph gidelum amanahem varahini oussere carbulath*», c'est-à-dire: «N'as-tu point vu une jeune belle personne, qui est la fille de Monsieur Jourdain, gentilhomme parisien?»

MONSIEUR JOURDAIN. – Le fils du Grand Turc dit cela de moi?

COVIELLE. – Oui. Comme je lui eus répondu que je vous connaissais particulièrement, et que j'avais vu votre fille: «Ah! me dit-il, *marababa sahem*»; c'est-à-dire: «Ah! que je suis amoureux d'elle!»

MONSIEUR JOURDAIN. – *Marababa sahem* veut dire: «Ah! que je suis amoureux d'elle»?

COVIELLE. – Oui.

MONSIEUR JOURDAIN. – Par ma foi! vous faites bien de me le dire, car pour moi je n'aurais jamais cru que *marababa sahem* eût voulu dire: «Ah! que je suis amoureux d'elle!» Voilà une langue admirable que ce turc!

COVIELLE. – Plus admirable qu'on ne peut croire. Savez-vous bien ce que veut dire *cacaracamouchen*?

MONSIEUR JOURDAIN. – *Cacaracamouchen*? Non.

COVIELLE. – C'est-à-dire: «Ma chère âme».

MONSIEUR JOURDAIN. – *Cacaracamouchen* veut dire: «Ma chère âme»?

COVIELLE. – Oui.

MONSIEUR JOURDAIN. – Voilà qui est merveilleux ! *Cacara-*
camouchen, « Ma chère âme ». Dirait-on jamais cela ? Voilà
qui me confond[1].

COVIELLE. – Enfin, pour achever mon ambassade[2], il vient
vous demander votre fille en mariage ; et pour avoir un
beau-père qui soit digne de lui, il veut vous faire *Mama-*
mouchi[3], qui est une certaine grande dignité[4] de son pays.

MONSIEUR JOURDAIN. – *Mamamouchi* ?

COVIELLE. – Oui. *Mamamouchi*; c'est-à-dire, en notre langue,
Paladin[5]. Paladin, ce sont de ces anciens… Paladin enfin.
Il n'y a rien de plus noble que cela dans le monde, et vous
irez de pair[6] avec les plus grands seigneurs de la terre.

MONSIEUR JOURDAIN. – Le fils du Grand Turc m'honore
beaucoup, et je vous prie de me mener chez lui pour lui
en faire mes remerciements.

COVIELLE. – Comment ? le voilà qui va venir ici.

MONSIEUR JOURDAIN. – Il va venir ici ?

COVIELLE. – Oui ; et il amène toutes choses pour la cérémonie de votre dignité.

MONSIEUR JOURDAIN. – Voilà qui est bien prompt[7].

---

1. **Confond** : stupéfie.
2. **Ambassade** : mission.
3. **Mamamouchi** : titre de noblesse inventé par Molière, comme toutes les autres
expressions prétendument turques.
4. **Dignité** : titre honorifique.
5. **Paladin** : seigneur.
6. **Irez de pair** : serez sur un pied d'égalité.
7. **Prompt** : rapide.

COVIELLE. – Son amour ne peut souffrir aucun retardement[1].

110 MONSIEUR JOURDAIN. – Tout ce qui m'embarrasse ici, c'est que ma fille est une opiniâtre[2], qui s'est allée mettre dans la tête un certain Cléonte, et elle jure de n'épouser personne que celui-là.

COVIELLE. – Elle changera de sentiment quand elle verra le
115 fils du Grand Turc ; et puis il se rencontre ici une aventure[3] merveilleuse, c'est que le fils du Grand Turc ressemble à ce Cléonte, à peu de chose près. Je viens de le voir, on me l'a montré ; et l'amour qu'elle a pour l'un pourra passer aisément à l'autre, et… je l'entends venir : le voilà.

Scène 4

MONSIEUR JOURDAIN, COVIELLE *déguisé*, CLÉONTE
en Turc, avec trois pages portant sa veste

CLÉONTE. – *Ambousahim, oqui boraf, Iordina salamalequi*[4].

COVIELLE. – C'est-à-dire : « Monsieur Jourdain, votre cœur soit toute l'année comme un rosier fleuri. » Ce sont façons de parler obligeantes de ces pays-là.

---

1. Retardement : retard.
2. Opiniâtre : têtue.
3. Aventure : ici, coïncidence.
4. *Salamalequi* : déformation de « salamalec », formule de salutation arabe.

5   **MONSIEUR JOURDAIN.** – Je suis très humble serviteur de son Altesse Turque.

COVIELLE. – *Carigar camboto oustin moraf.*

CLÉONTE. – *Oustin yoc catamalequi basum base alla moran.*

COVIELLE. – Il dit « Que le Ciel vous donne la force des lions
10   et la prudence des serpents ! »

MONSIEUR JOURDAIN. – Son Altesse Turque m'honore trop, et je lui souhaite toutes sortes de prospérités[1].

COVIELLE. – *Ossa binamen sadoc bahally oracaf ouram.*

CLÉONTE. – *Bel-men.*

15   **COVIELLE.** – Il dit que vous alliez vite avec lui vous préparer pour la cérémonie, afin de voir ensuite votre fille, et de conclure le mariage.

MONSIEUR JOURDAIN. – Tant de choses en deux mots ?

COVIELLE. – Oui, la langue turque est comme cela, elle dit
20   beaucoup en peu de paroles. Allez vite où il souhaite.

---

1. **Prospérités** : succès, bonheur.

Scène 5

COVIELLE, DORANTE

COVIELLE. – Ha, ha, ha! Ma foi! cela est tout à fait drôle. Quelle dupe! Quand il aurait appris son rôle par cœur, il ne pourrait pas le mieux jouer. Ah, ah. Je vous prie, Monsieur, de nous vouloir aider céans, dans une affaire qui s'y passe.

5 DORANTE. – Ah, ah, Covielle, qui t'aurait reconnu? Comme te voilà ajusté[1]!

COVIELLE. – Vous voyez. Ah, ah!

DORANTE. – De quoi ris-tu?

COVIELLE. – D'une chose, Monsieur, qui le mérite bien.

10 DORANTE. – Comment?

COVIELLE. – Je vous le donnerais en bien des fois[2], Monsieur, à deviner le stratagème[3] dont nous nous servons auprès de Monsieur Jourdain, pour porter son esprit à donner sa fille à mon maître.

15 DORANTE. – Je ne devine point le stratagème, mais je devine qu'il ne manquera pas de faire son effet, puisque tu l'entreprends.

COVIELLE. – Je sais, Monsieur, que la bête vous est connue[4].

DORANTE. – Apprends-moi ce que c'est.

---

1. **Ajusté**: déguisé.
2. **Je vous le donnerais en bien des fois**: je vous mets au défi.
3. **Stratagème**: ruse.
4. **La bête vous est connue**: vous me connaissez bien.

20 COVIELLE. – Prenez la peine de vous tirer un peu plus loin, pour faire place à ce que j'aperçois venir. Vous pourrez voir une partie de l'histoire, tandis que je vous conterai le reste.

La cérémonie turque pour ennoblir le Bourgeois se fait en danse et en musique, et compose le quatrième intermède.
Le Mufti[1], quatre Dervis[2], six Turcs dansant, six Turcs musiciens, et autres joueurs d'instruments à la turque, sont les acteurs de cette cérémonie.
Le Mufti invoque Mahomet[3] avec les douze Turcs, et les quatre Dervis ; après on lui amène le Bourgeois, vêtu à la turque, sans turban[4] et sans sabre, auquel il chante ces paroles :

LE MUFTI

Se ti sabir[5],	Si toi savoir
Ti respondir ;	Toi répondre
Se non sabir,	Si toi ne pas savoir
Tazir, tazir.	Te taire, te taire.
Mi star Mufti,	Moi être Mufti
Ti qui star ti ?	Toi qui être, toi ?
Non intendir :	Pas entendre
Tazir, tazir.	Te taire, te taire.

Le Mufti demande, en même langue, aux Turcs assistants de quelle religion est le Bourgeois, et ils l'assurent qu'il est mahométan[6]. Le Mufti invoque

---

1. Mufti : chef religieux musulman qui interprète le Coran.
2. Dervis : religieux musulmans consacrés à la prière.
3. Mahomet (570-632) : prophète fondateur de l'islam.
4. Turban : coiffure faite d'une longue bande d'étoffe enroulée sur la tête et portée par les hommes en Orient.
5. Il y a ici un jeu de mots car le Mufti s'exprime dans un jargon mêlant l'arabe, le français, l'espagnol et l'italien appelé « sabir ».
6. Mahométan : musulman.

Mahomet en langue franque[1],
et chante les paroles qui suivent.

LE MUFTI

Mahametta per Giourdina	Mahomet pour Jourdain
Mi pregar sera é mattina :	Moi prier soir et matin
Voler far un Paladina	Vouloir faire un paladin
Dé Giourdina, dé Giourdina.	De Jourdain, de Jourdain.
Dar turbanta, é dar scarcina,	Donner turban et donner sabre
Con galera é brigantina,	Avec galère[2] et brigantin[3]
Per deffender Palestina.	Pour défendre la Palestine[4].
Mahametta, etc.	Mahomet, etc.

35

Le Mufti demande aux Turcs si le Bourgeois
sera ferme[5] dans la religion mahométane,
et leur chante ces paroles :

LE MUFTI

Star bon Turca Giourdina ?   Est-il bon turc, Jourdain ?

LES TURCS

40   *Hi valla.*   Oui par Dieu.

LE MUFTI, *danse et chante ces mots*
Hu la ba ba la chou ba la ba ba la da.

Les Turcs répondent les mêmes vers.
Le Mufti propose de donner le turban au Bourgeois,
et chante les paroles qui suivent.

---

1. Langue franque : langue parlée autour de la Méditerranée, mélangeant des mots français, italiens, espagnols, etc.
2. Galère : navire à rames maniées par des prisonniers.
3. Brigantin : voilier léger à deux mâts.
4. La Palestine est une province de l'empire ottoman au XVIIe siècle.
5. Ferme : convaincu, persévérant.

LE MUFTI

Ti non star furba ?   Toi n'être pas fourbe ?

LES TURCS

No, no, no.   Non, non, non.

LE MUFTI

Non star furfanta ?   N'être pas imposteur ?

LES TURCS

45   *No, no, no.*   Non, non, non.

LE MUFTI

Donar turbanta,   Donner le turban,
       donar turbanta.   donner le turban.

Les Turcs répètent tout ce qu'a dit le Mufti pour donner le turban au Bourgeois. Le Mufti et les Dervis se coiffent avec des turbans de cérémonies ; et l'on présente au Mufti l'Alcoran[1], qui fait une seconde invocation[2] avec tout le reste des Turcs assistants ; après son invocation, il donne au Bourgeois l'épée, et chante ces paroles.

LE MUFTI

Ti star nobilé,   Toi être noble,
       e non star fabbola.   cela n'être pas une fable.
50   *Pigliar schiabbola.*   Prendre le sabre.

Les Turcs répètent les mêmes vers, mettant tous le sabre à la main, et six d'entre eux dansent autour du Bourgeois, auquel ils feignent de donner plusieurs coups de sabre.

---

1. **L'Alcoran** : le Coran, livre sacré de l'islam.
2. **Invocation** : prière.

*Le Mufti commande aux Turcs de bâtonner[1]
le Bourgeois, et chante les paroles qui suivent.*

LE MUFTI

Dara, dara,	Donnez, donnez
Bastonnara, bastonnara.	Bastonnade, bastonnade.

*Les Turcs répètent les mêmes vers, et lui donnent plusieurs coups
de bâton en cadence.
Le Mufti, après l'avoir fait bâtonner, lui dit en chantant :*

LE MUFTI

Non tenar honta :	N'avoir pas honte
Questa star ultima affronta.	Ceci être le dernier affront.

*Les Turcs répètent les mêmes vers.
Le Mufti recommence une invocation, et se retire
après la cérémonie avec tous les Turcs, en dansant
et chantant avec plusieurs instruments
à la turquesque[2].*

---

1. **Bâtonner** : frapper à coups de bâtons.
2. **À la turquesque** : à la manière des Turcs.

ACTE V

Scène 1

MADAME JOURDAIN, MONSIEUR JOURDAIN

MADAME JOURDAIN. – Ah mon Dieu ! miséricorde[1] ! Qu'est-ce que c'est donc que cela ? Quelle figure[2] ! Est-ce un momon[3] que vous allez porter ; et est-il temps d'aller en masque[4] ? Parlez donc, qu'est-ce que c'est que ceci ? Qui vous a fagoté[5] comme cela ?

MONSIEUR JOURDAIN. – Voyez l'impertinente, de parler de la sorte à un *Mamamouchi* !

MADAME JOURDAIN. – Comment donc ?

MONSIEUR JOURDAIN. – Oui, il me faut porter du respect[6] maintenant, et l'on vient de me faire *Mamamouchi*.

---

1. Miséricorde : exclamation marquant ici la surprise et l'indignation.
2. Figure : ici, apparence.
3. Momon : masque porté lors du carnaval.
4. Aller en masque : se promener masqué.
5. Fagoté : habillé de façon ridicule.
6. Porter du respect : manifester du respect.

MADAME JOURDAIN. – Que voulez-vous dire avec votre *Mamamouchi*?

MONSIEUR JOURDAIN. – *Mamamouchi,* vous dis-je. Je suis *Mamamouchi.*

15 **MADAME JOURDAIN.** – Quelle bête est-ce là?

MONSIEUR JOURDAIN. – *Mamamouchi,* c'est-à-dire, en notre langue, Paladin.

MADAME JOURDAIN. – Baladin! Êtes-vous en âge de danser des ballets?

20 **MONSIEUR JOURDAIN.** – Quelle ignorante! Je dis Paladin; c'est une dignité dont on vient de me faire la cérémonie.

MADAME JOURDAIN. – Quelle cérémonie donc?

MONSIEUR JOURDAIN. – *Mahameta per Jordina.*

MADAME JOURDAIN. – Qu'est-ce que cela veut dire?

25 **MONSIEUR JOURDAIN.** – *Jordina,* c'est-à-dire Jourdain.

MADAME JOURDAIN. – Hé bien! quoi, Jourdain?

MONSIEUR JOURDAIN. – *Voler far un Paladina de Jordina.*

MADAME JOURDAIN. – Comment?

MONSIEUR JOURDAIN. – *Dar turbanta con galera.*

30 **MADAME JOURDAIN.** – Qu'est-ce à dire cela?

MONSIEUR JOURDAIN. – *Per deffender Palestina.*

MADAME JOURDAIN. – Que voulez-vous donc dire?

MONSIEUR JOURDAIN. – *Dara dara bastonnara.*

MADAME JOURDAIN. – Qu'est-ce donc que ce jargon[1]-là ?

35 **MONSIEUR JOURDAIN.** – *Non tener honta : questa star l'ultima affronta.*

MADAME JOURDAIN. – Qu'est-ce que c'est donc que tout cela ?

MONSIEUR JOURDAIN *danse et chante.* – *Hou la ba ba la chou ba la ba ba la da.*

40 **MADAME JOURDAIN.** – Hélas, mon Dieu ! mon mari est devenu fou.

MONSIEUR JOURDAIN, *sortant.* – Paix ! insolente, portez respect à Monsieur le *Mamamouchi.*

MADAME JOURDAIN. – Où est-ce qu'il a donc perdu l'esprit ?
45 Courons l'empêcher de sortir. Ah, ah, voici justement le reste de notre écu[2]. Je ne vois que chagrin de tous les côtés.

Elle sort.

Scène 2

DORANTE, DORIMÈNE

DORANTE. – Oui, Madame, vous verrez la plus plaisante chose qu'on puisse voir ; et je ne crois pas que dans tout le monde il soit possible de trouver encore un homme aussi fou que

---

1. Jargon : langage compliqué et incompréhensible.
2. Le reste de notre écu : personne importune (expression figurée).

celui-là. Et puis, Madame, il faut tâcher de servir l'amour
de Cléonte, et d'appuyer toute sa mascarade : c'est un fort
galant homme, et qui mérite que l'on s'intéresse pour lui[1].

DORIMÈNE. – J'en fais beaucoup de cas[2], et il est digne d'une
bonne fortune[3].

DORANTE. – Outre cela[4], nous avons ici, Madame, un ballet
qui nous revient[5], que nous ne devons pas laisser perdre,
et il faut bien voir si mon idée pourra réussir.

DORIMÈNE. – J'ai vu là des apprêts[6] magnifiques, et ce sont
des choses, Dorante, que je ne puis plus souffrir. Oui, je veux
enfin vous empêcher vos profusions[7] ; et, pour rompre le
cours à toutes les dépenses que je vous vois faire pour moi,
j'ai résolu de me marier promptement avec vous : c'en est
le vrai secret, et toutes ces choses finissent avec le mariage.

DORANTE. – Ah, Madame, est-il possible que vous ayez pu
prendre pour moi une si douce résolution ?

DORIMÈNE. – Ce n'est que pour vous empêcher de vous
ruiner ; et, sans cela, je vois bien qu'avant qu'il fût peu,
vous n'auriez pas un sou.

DORANTE. – Que j'ai d'obligation, Madame, aux soins que
vous avez de conserver mon bien ! Il est entièrement à
vous, aussi bien que mon cœur, et vous en userez de la
façon qu'il vous plaira.

---

1. **Que l'on s'intéresse pour lui** : qu'on l'aide.
2. **J'en fais beaucoup de cas** : je l'estime beaucoup.
3. **Bonne fortune** : destin heureux.
4. **Outre cela** : de plus.
5. **Qui nous revient** : que nous avons commandé.
6. **Apprêts** : préparatifs.
7. **Profusions** : cadeaux multiples.

DORIMÈNE. – J'userai bien de tous les deux. Mais voici votre homme ; la figure en est admirable.

Scène 3

DORANTE, DORIMÈNE, MONSIEUR JOURDAIN

DORANTE. – Monsieur, nous venons rendre hommage, Madame et moi, à votre nouvelle dignité, et nous réjouir avec vous du mariage que vous faites de votre fille avec le fils du Grand Turc.

5 **MONSIEUR JOURDAIN,** *après avoir fait les révérences à la turque.* – Monsieur, je vous souhaite la force des serpents et la prudence des lions.

DORIMÈNE. – J'ai été bien aise d'être des premières, Monsieur, à venir vous féliciter du haut degré de gloire où vous 10 êtes monté.

MONSIEUR JOURDAIN. – Madame, je vous souhaite toute l'année votre rosier fleuri ; je vous suis infiniment obligé de prendre part aux honneurs qui m'arrivent, et j'ai beaucoup de joie de vous voir revenue ici pour vous faire les très humbles 15 excuses de l'extravagance[1] de ma femme.

DORIMÈNE. – Cela n'est rien, j'excuse en elle un pareil mouvement[2] ; votre cœur lui doit être précieux, et il n'est pas

---

1. Extravagance : bizarrerie, folie.
2. Mouvement : réaction.

étrange que la possession d'un homme comme vous puisse inspirer quelques alarmes[1].

20 **Monsieur Jourdain.** – La possession de mon cœur est une chose qui vous est toute acquise.

Dorante. – Vous voyez, Madame, que Monsieur Jourdain n'est pas de ces gens que les prospérités aveuglent, et qu'il sait, dans sa gloire, connaître encore ses amis.

25 **Dorimène.** – C'est la marque d'une âme tout à fait généreuse.

Dorante. – Où est donc Son Altesse Turque ? Nous voudrions bien, comme vos amis[2], lui rendre nos devoirs[3].

Monsieur Jourdain. – Le voilà qui vient, et j'ai envoyé quérir ma fille pour lui donner la main.

Scène 4

Dorante, Dorimène,
Monsieur Jourdain, Cléonte, Covielle

Dorante. – Monsieur, nous venons faire la révérence à Votre Altesse, comme amis de Monsieur votre beau-père, et l'assurer avec respect de nos très humbles services.

---

1. **Alarmes** : inquiétudes, soucis.
2. **Comme vos amis** : en tant qu'amis.
3. **Lui rendre nos devoirs** : lui présenter nos salutations respectueuses.

Monsieur Jourdain. – Où est le truchement[1] pour lui dire
5 qui vous êtes, et lui faire entendre[2] ce que vous dites ? Vous
verrez qu'il vous répondra, et il parle turc à merveille. Holà !
où diantre est-il allé ? *(À Cléonte:) Strouf, strif, strof, straf.*
Monsieur est un *grande Segnore, grande Segnore, grande Segnore;*
et Madame une *granda Dama, granda Dama. Ahi,* lui, Mon-
10 sieur, lui *Mamamouchi* français, et Madame *Mamamouchie*
française : je ne puis pas parler plus clairement. Bon, voici
l'interprète. Où allez-vous donc ? nous ne saurions rien dire
sans vous. Dites-lui un peu que Monsieur et Madame sont
des personnes de grande qualité, qui lui viennent faire la
15 révérence, comme mes amis, et l'assurer de leurs services.
Vous allez voir comme il va répondre.

Covielle. – *Alabala crociam acci boram alabamen.*

Cléonte. – *Catalequi tubal ourin soter amalouchan.*

Monsieur Jourdain. – Voyez-vous ?

20 **Covielle**. – Il dit que la pluie des prospérités arrose en
tout temps le jardin de votre famille !

Monsieur Jourdain. – Je vous l'avais bien dit, qu'il parle turc.

Dorante. – Cela est admirable.

---

1. **Truchement** : interprète.
2. **Entendre** : comprendre.

Scène 5

DORANTE, DORIMÈNE,
MONSIEUR JOURDAIN, CLÉONTE, COVIELLE, LUCILE

MONSIEUR JOURDAIN. – Venez, ma fille, approchez-vous et venez donner votre main à Monsieur, qui vous fait l'honneur de vous demander en mariage.

LUCILE. – Comment, mon père, comme vous voilà fait[1]!
5 est-ce une comédie que vous jouez?

MONSIEUR JOURDAIN. – Non, non, ce n'est pas une comédie, c'est une affaire sérieuse, et la plus pleine d'honneur pour vous qui se peut souhaiter. Voilà le mari que je vous donne.

LUCILE. – À moi, mon père!

10 **MONSIEUR JOURDAIN.** – Oui, à vous: allons, touchez-lui dans la main, et rendez grâce au Ciel de votre bonheur.

LUCILE. – Je ne veux point me marier.

MONSIEUR JOURDAIN. – Je le veux, moi qui suis votre père.

LUCILE. – Je n'en ferai rien.

15 **MONSIEUR JOURDAIN.** – Ah! que de bruit[2]! Allons, vous dis-je. Çà, votre main.

LUCILE. – Non, mon père, je vous l'ai dit, il n'est point de pouvoir[3] qui me puisse obliger de prendre un autre mari

---

1. **Fait**: déguisé.
2. **Bruit**: ici, protestations inutiles.
3. **Pouvoir**: autorité.

J.-P. Dumontier, illustration pour une édition
du Bourgeois gentilhomme, gravure, 1846.

que Cléonte ; et je me résoudrai plutôt à toutes les extré-
20 mités[1], que de… *(Reconnaissant Cléonte :)* Il est vrai, que
vous êtes mon père, je vous dois entière obéissance, et c'est
à vous à disposer de moi selon vos volontés.

MONSIEUR JOURDAIN. – Ah ! je suis ravi de vous voir si promptement revenue dans votre devoir, et voilà qui me plaît,
25 d'avoir une fille obéissante.

Scène 6
DORANTE, DORIMÈNE, MONSIEUR JOURDAIN,
CLÉONTE, COVIELLE, LUCILE, MADAME JOURDAIN

MADAME JOURDAIN. – Comment donc ? qu'est-ce que ceci ?
On dit que vous voulez donner votre fille en mariage à un
carême-prenant[2] ?

MONSIEUR JOURDAIN. – Voulez-vous vous taire, impertinente ?
5 Vous venez toujours mêler vos extravagances à toutes choses,
et il n'y a pas moyen de vous apprendre à être raisonnable.

MADAME JOURDAIN. – C'est vous qu'il n'y a pas moyen de
rendre sage, et vous allez de folie en folie. Quel est votre
dessein[3], et que voulez-vous faire avec cet assemblage[4] ?

---

1. Extrémités : actions extrêmes.
2. Carême-prenant : personne déguisée de manière extravagante, comme lors
du carnaval qui se tient avant le carême.
3. Dessein : intention, projet.
4. Assemblage : ici, union mal assortie.

10 **MONSIEUR JOURDAIN.** – Je veux marier notre fille avec le fils du Grand Turc.

MADAME JOURDAIN. – Avec le fils du Grand Turc !

MONSIEUR JOURDAIN. – Oui, faites-lui faire vos compliments par le truchement que voilà.

15 **MADAME JOURDAIN.** – Je n'ai que faire du truchement, et je lui dirai bien moi-même à son nez qu'il n'aura point ma fille.

MONSIEUR JOURDAIN. – Voulez-vous vous taire, encore une fois ?

DORANTE. – Comment, Madame Jourdain, vous vous opposez
20 à un bonheur comme celui-là ? Vous refusez Son Altesse Turque pour gendre ?

MADAME JOURDAIN. – Mon Dieu, Monsieur, mêlez-vous de vos affaires.

DORIMÈNE. – C'est une grande gloire, qui n'est pas à rejeter.

25 **MADAME JOURDAIN.** – Madame, je vous prie aussi de ne vous point embarrasser de ce qui ne vous touche[1] pas.

DORANTE. – C'est l'amitié que nous avons pour vous qui nous fait intéresser dans vos avantages[2].

MADAME JOURDAIN. – Je me passerai bien de votre amitié.

30 **DORANTE.** – Voilà votre fille qui consent aux volontés de son père.

MADAME JOURDAIN. – Ma fille consent à épouser un Turc ?

---

1. **Ce qui ne vous touche pas** : ce qui ne vous regarde pas.
2. **Avantages** : intérêts.

DORANTE. – Sans doute.

MADAME JOURDAIN. – Elle peut oublier Cléonte?

35 **DORANTE.** – Que ne fait-on pas pour être grand-dame?

MADAME JOURDAIN. – Je l'étranglerais de mes mains, si elle avait fait un coup comme celui-là.

MONSIEUR JOURDAIN. – Voilà bien du caquet. Je vous dis que ce mariage-là se fera.

40 **MADAME JOURDAIN.** – Je vous dis, moi, qu'il ne se fera point.

MONSIEUR JOURDAIN. – Ah! que de bruit!

LUCILE. – Ma mère.

MADAME JOURDAIN. – Allez, vous êtes une coquine.

MONSIEUR JOURDAIN. – Quoi? vous la querellez de ce qu'elle
45 m'obéit?

MADAME JOURDAIN. – Oui; elle est à moi aussi bien qu'à vous.

COVIELLE. – Madame.

MADAME JOURDAIN. – Que me voulez-vous conter, vous?

COVIELLE. – Un mot.

50 **MADAME JOURDAIN.** – Je n'ai que faire de votre mot.

COVIELLE, *à Monsieur Jourdain.* – Monsieur, si elle veut écouter une parole en particulier, je vous promets de la faire consentir à ce que vous voulez.

MADAME JOURDAIN. – Je n'y consentirai point.

55 **COVIELLE.** – Écoutez-moi seulement.

MADAME JOURDAIN. – Non.

MONSIEUR JOURDAIN. – Écoutez-le.

MADAME JOURDAIN. – Non, je ne veux pas écouter.

MONSIEUR JOURDAIN. – Il vous dira…

60 **MADAME JOURDAIN.** – Je ne veux point qu'il me dise rien.

MONSIEUR JOURDAIN. – Voilà une grande obstination de femme ! Cela vous fera-t-il mal de l'entendre ?

COVIELLE. – Ne faites que m'écouter ; vous ferez après ce qu'il vous plaira.

65 **MADAME JOURDAIN.** – Hé bien ! quoi ?

COVIELLE, *à part.* – Il y a une heure, Madame, que nous vous faisons signe. Ne voyez-vous pas bien que tout ceci n'est fait que pour nous ajuster aux visions de votre mari, que nous l'abusons sous ce déguisement, et que c'est Cléonte
70 lui-même qui est le fils du Grand Turc ?

MADAME JOURDAIN. – Ah ! ah !

COVIELLE. – Et moi Covielle qui suis le truchement ?

MADAME JOURDAIN. – Ah ! comme cela, je me rends.

COVIELLE. – Ne faites pas semblant de rien[1].

75 **MADAME JOURDAIN.** – Oui, voilà qui est fait, je consens au mariage.

MONSIEUR JOURDAIN. – Ah ! voilà tout le monde raisonnable. Vous ne vouliez pas l'écouter. Je savais bien qu'il vous expliquerait ce que c'est que le fils du Grand Turc.

---

1. **Ne faites pas semblant de rien** : faites comme si de rien n'était.

80 **MADAME JOURDAIN.** – Il me l'a expliqué comme il faut, et j'en suis satisfaite. Envoyons quérir un notaire.

DORANTE. – C'est fort bien dit. Et afin, Madame Jourdain, que vous puissiez avoir l'esprit tout à fait content, et que vous perdiez aujourd'hui toute la jalousie que vous pourriez
85 avoir conçue de Monsieur votre mari, c'est que nous nous servirons du même notaire pour nous marier, Madame et moi.

MADAME JOURDAIN. – Je consens aussi à cela.

MONSIEUR JOURDAIN. – C'est pour lui faire accroire[1].

90 **DORANTE.** – Il faut bien l'amuser[2] avec cette feinte.

MONSIEUR JOURDAIN. – Bon, bon. Qu'on aille vite quérir le notaire.

DORANTE. – Tandis qu'il viendra, et qu'il dressera les contrats, voyons notre ballet, et donnons-en le divertissement à Son
95 Altesse Turque.

MONSIEUR JOURDAIN. – C'est fort bien avisé : allons prendre nos places.

MADAME JOURDAIN. – Et Nicole ?

MONSIEUR JOURDAIN. – Je la donne au truchement ; et ma
100 femme à qui la voudra.

COVIELLE. – Monsieur, je vous remercie. Si l'on en peut voir un plus fou, je l'irai dire à Rome[3].

---

1. Lui faire accroire : la tromper.
2. L'amuser : détourner son attention.
3. Si l'on en peut voir un plus fou, je l'irai dire à Rome : proverbe signifiant qu'on ne peut en trouver un plus fou.

La comédie finit par un petit ballet
qui avait été préparé.

Première entrée

Un homme vient donner les livres[1] du ballet, qui d'abord est
fatigué[2] par une multitude de gens de provinces différentes, qui
crient en musique pour en avoir, et par trois importuns[3], qu'il
trouve toujours sur ses pas.

Dialogue des gens
qui en musique demandent des livres

Tous
À moi, Monsieur, à moi de grâce, à moi, Monsieur :
Un livre, s'il vous plaît, à votre serviteur.

Homme du bel air[4]
Monsieur, distinguez-nous parmi les gens qui crient.
Quelques livres ici, les Dames vous en Prient.

Autre homme du bel air
Holà ! Monsieur, Monsieur, ayez la charité[5]
D'en jeter de notre côté.

Femme du bel air
Mon Dieu ! qu'aux personnes bien faites[6]
On sait peu rendre honneur céans.

---

1. **Livres** : ici, textes accompagnant la musique.
2. **Fatigué** : dérangé.
3. **Importuns** : personnes gênantes.
4. **Du bel air** : aux manières raffinées.
5. **Charité** : bonté.
6. **Bien faites** : distinguées.

AUTRE FEMME DU BEL AIR

Ils n'ont des livres et des bancs
Que pour Mesdames les grisettes[1].

GASCON[2]

Aho! l'homme aux libres, qu'on m'en vaille[3]!
J'ai déjà lé poumon usé.
Bous boyez qué chacun mé raille;
Et jé suis escandalisé
De boir és mains[4] dé la canaille
Cé qui m'est par bous refusé.

AUTRE GASCON

Eh cadédis[5]! Monseu, boyez qui l'on pût estre:
Un libret, je bous prie, au varon d'Asbarat.
Jé pense, mordy[6], qué lé fat[7]
N'a pas l'honnur dé mé connoistre.

LE SUISSE[8]

Monsieur le donneur de papieir,
Que veul dir sty façon de fifre?
Moy l'écorchair tout mon gosieir
À crieir,
Sans que je pouvre afoir ein lifre:
Pardy, mon foy! Monsieur, je pense fous l'estre ifre.

---

1. Grisettes: jeunes filles de condition modeste.
2. Gascon: homme originaire de Gascogne, région du sud-ouest de la France. Molière se moque de l'accent provincial des Gascons, qui remplacent les «b» par «v» (et inversement) et prononcent les «e» «é».
3. Vaille: baille, c'est-à-dire donne.
4. És mains: dans les mains.
5. Cadédis: juron gascon.
6. Mordy: mordieu (exclamation).
7. Fat: orgueilleux.
8. Molière tourne également en ridicule l'accent suisse qui transforme notamment les «v» en «f».

VIEUX BOURGEOIS BABILLARD[1]

De tout ceci, franc et net,
130   *Je suis mal satisfait.*
Et cela sans doute est laid,
        Que notre fille,
Si bien faite et si gentille,
De tant d'amoureux l'objet,
135   *N'ait pas à son souhait*
        Un livre de ballet,
        Pour lire le sujet
Du divertissement qu'on fait,
Et que toute notre famille
140   *Si proprement s'habille,*
Pour être placée au sommet
        De la salle, où l'on met
        Les gens de Lantriguet[2] :
De tout ceci, franc et net,
145   *Je suis mal satisfait,*
Et cela sans doute est laid.

VIEILLE BOURGEOISE BABILLARDE

Il est vrai que c'est une honte,
Le sang au visage me monte,
Et ce jeteur de vers qui manque au capital[3]
150   *L'entend fort mal ;*
        C'est un brutal,
        Un vrai cheval,
        Franc animal,

---

1. Babillard : bavard.
2. Lantriguet : nom breton de la ville de Tréguier.
3. Qui manque au capital : qui ne voit pas l'essentiel.

De faire si peu de compte

155   *D'une fille qui fait l'ornement principal*

Du quartier du Palais-Royal

Et que ces jours passés un comte

Fut prendre la première au bal.

Il l'entend mal ;

160   *C'est un brutal,*

Un vrai cheval,

Franc animal.

HOMMES ET FEMMES DU BEL AIR

Ah ! quel bruit !

         Quel fracas !

165   *Quel chaos !*

                   Quel mélange !

Quelle confusion !

         Quelle cohue [1] *étrange !*

Quel désordre !

170   *Quel embarras !*

On y sèche [2].

         L'on n'y tient pas.

GASCON

Bentré [3] *! jé suis à vout.*

AUTRE GASCON

         J'enrage, Diou mé damme !

SUISSE

175   *Ah que ly faire saif dans sty sal de cians !*

---

1. **Cohue** : foule désordonnée.
2. **On y sèche** : on y est assoiffé.
3. **Bentré** : juron gascon.

GASCON

Jé murs.

AUTRE GASCON
Jé perds la tramontane[1].

SUISSE
Mon foy! moy le foudrois estre hors de dedans.

VIEUX BOURGEOIS BABILLARD
Allons, ma mie,

180 *Suivez mes pas,*

Je vous en prie,

Et ne me quittez pas:

On fait de nous trop peu de cas,

Et je suis las

185 *De ce tracas:*

Tout ce fatras[2],

Cet embarras

Me pèse par trop sur les bras,

S'il me prend jamais envie

190 *De retourner de ma vie*

À ballet ni comédie,

Je veux bien qu'on m'estropie[3].

Allons, ma mie,

Suivez mes pas,

195 *Je vous en prie,*

Et ne me quittez pas:

On fait de nous trop peu de cas.

---

1. **Jé perds la tramontane**: je ne sais plus que faire (expression figurée).
2. **Fatras**: fouillis.
3. **Estropie**: prive définitivement de l'usage d'un membre.

VIEILLE BOURGEOISE BABILLARDE

Allons, mon mignon, mon fils,
Regagnons notre logis,
200 *Et sortons de ce taudis[1],*
Où l'on ne peut être assis :
Ils seront bien ébaubis[2]
Quand ils nous verront partis,
Trop de confusion règne dans cette salle,
205 *Et j'aimerais mieux être au milieu de la Halle[3].*
Si jamais je reviens à semblable régale,
Je veux bien recevoir des soufflets plus de six.
Allons, mon mignon, mon fils,
Regagnons notre logis,
210 *Et sortons de ce taudis,*
Où l'on ne peut être assis.

TOUS

À moi, Monsieur, à moi de grâce, à moi, Monsieur :
Un livre s'il vous plaît, à votre serviteur.

SECONDE ENTRÉE

Les trois importuns dansent.

TROISIÈME ENTRÉE

TROIS ESPAGNOLS *chantent :*

Sé que me muero de amor,	Je sais que je me meurs d'amour
Y solicito el dolor.	Et je recherche cette douleur.
Aun muriendo de querer,	Quoique mourant de désir,

215

---

1. **Taudis** : endroit sale et misérable.
2. **Ébaubis** : très surpris.
3. **Halle** : marché.

De tan buen ayre adolezco,	Je dépéris de si bon air
Que es mas de lo que padezco	Que ce que je veux souffrir
Lo que quiero padecer,	Est plus que ce que je souffre,
220 *Y no pudiendo exceeder*	Cette souffrance ne pouvant
A mi deseo el rigor	Excéder mon désir.
Sé que me muero de amor,	Je sais que je meurs d'amour
Y solicito el dolor.	Et je recherche cette douleur.
Lisonxeame la suerte	Le sort me flatte
225 *Con piedad tan advertida,*	Avec une pitié si attentive,
Que me asegura la vida	Qu'il me donne la vie
En el riesgo de la muerte.	Dans le danger de la mort.
Vivir de su golpe fuerte	Vivre de son coup violent
Es de mi salud primor	Est le prodige de mon salut.
30 *Sé que, etc.*	Je sais que, etc.

Six Espagnols dansent.

Trois musiciens espagnols

Ay! que locura,	Ah! quelle folie, avec tant de
con tanto rigor	rigueur
Quexarse de Amor,	De se plaindre de l'Amour,
Del niño bonito	De ce charmant enfant
35 *Que todo es dulçura!*	Qui n'est que douceur!
Ay! que locura!	Ah! quelle folie!
Ay! que locura!	Ah! quelle folie!

Espagnols, *chantant*

El dolor solicita	La douleur tourmente
El que al dolor se da;	Celui qui s'abandonne à la douleur;
0 *Y nadie de amor muere,*	Et personne ne meurt d'amour,
Sino quien no save amar.	Hormis celui qui ne sait pas aimer.

159

DEUX ESPAGNOLS

Dulce muerte es el amor	Douce mort que l'amour
Con correspondencia ygual;	Quand il est partagé;
Y si ésta gozamos	Et si nous en jouissons aujourd'hui,
Porque la quieres turbar?	Pourquoi la veux-tu troubler?

245

UN ESPAGNOL

Alegrese enamorado,	Que l'amant se réjouisse,
Y tome mi parecer;	Et qu'il suive mon exemple;
Que en esto de querer,	Car dans l'amour,
Todo es hallar el vado.	Le tout est de trouver la manière d'aimer.

250

TOUS TROIS *ensemble*

Vaya, vaya de fiestas!	Allons, allons, des fêtes!
Vaya de vayle!	Allons, de la danse!
Alegria, alegria, alegria!	Joie, joie, joie!
Que esto de dolor es fantasia.	Car la douleur n'est qu'une illusion.

255

QUATRIÈME ENTRÉE
ITALIENS

UNE MUSICIENNE ITALIENNE
fait le premier récit, dont voici les paroles:

Di rigori armata il seno,	Ayant armé mon sein de rigueur,
Contro amor mi ribellai;	Contre l'amour je me révoltai;
Ma fui vinta in un baleno	Mais je fus vaincue en un éclair
In mirar duo vaghi rai;	En regardant deux rayons de soleil;
Ahi! che resiste puoco	Ah! qu'un cœur de glace
Cor di gelo a stral di fuoco!	Résiste peu à une flèche de feu!

260

265 *Ma sì caro è'l mio tormento,*	Mais mon tourment m'est si cher,
Dolce è si la piaga mia,	Et ma plaie si douce,
Ch'il penare è'l mio contento,	Que ma souffrance fait mon bonheur,
270 *E'l sanarmi è tirannia,*	Et me guérir serait une tyrannie.
Ahi! che più giova e piace,	Ah! plus l'amour est vif,
Quanto amor è piu vivace!	Plus il y a de joie et de plaisir!

Après l'air que la Musicienne a chanté, deux Scaramouches, deux Trivelins, et un Arlequin[1] représentent une nuit à la manière des comédiens italiens, en cadence.

Un Musicien italien se joint à la Musicienne italienne, et chante avec elle les paroles qui suivent.

LE MUSICIEN ITALIEN

Bel tempo che vola	Le beau temps qui s'envole
Rapisce il contento;	Ravit le plaisir;
275 *D'Amor nella scola*	À l'école de l'Amour
Si coglie il momento.	On cueille l'instant.

LA MUSICIENNE

Insin che florida	Tant que l'âge fleuri
Ride l'età,	Nous sourit,
Che pur tropp' orrida	L'âge qui, trop vite,
280 *Da noi s'en và.*	S'enfuit.

TOUS DEUX

Sù cantiamo,	Chantons,
Sù godiamo	Jouissons

---

1. Scaramouche, Trivelin et Arlequin sont des personnages récurrents de la *commedia dell'arte*, la comédie italienne, très populaire à l'époque de Molière.

Ne bei dì di gioventù :	Dans les beaux jours de la jeunesse :
285 *Perduto ben non si* *racquista più.*	Un bien perdu ne se retrouve plus.

MUSICIEN

Pupilla che vaga	Un bel œil
Mill' alme incatena	Enchaîne mille cœurs ;
Fà dolce la piaga,	Sa blessure est douce,
290 *Felice la pena.*	Le mal qu'il fait est un bonheur.

MUSICIENNE

Ma poiche frigida	Mais quand languit
Langue l'età,	L'âge glacé,
Più l'alma rigida	L'âme engourdie
Fiamme non ha.	N'a plus de feu.

TOUS DEUX

295 *Sù cantiamo, etc.*	Chantons, etc.

Après le dialogue italien, les Scaramouches
et Trivelins dansent une réjouissance[1].

---

1. **Réjouissance** : danse joyeuse.

CINQUIÈME ENTRÉE
FRANÇAIS

PREMIER MENUET

Deux musiciens poitevins[1] dansent
et chantent les paroles qui suivent :

Ah ! qu'il fait beau dans ces bocages[2] !
Ah ! que le Ciel donne un beau jour !

AUTRE MUSICIEN

Le rossignol, sous ces tendres feuillages,
Chante aux échos son doux retour :
Ce beau séjour,
Ces doux ramages[3],
Ce beau séjour
Nous invite à l'amour.

SECOND MENUET

TOUS DEUX *ensemble*

Vois, ma Climène,
Vois sous ce chêne
S'entre-baiser ces oiseaux amoureux ;
Ils n'ont rien dans leurs vœux
Qui les gêne ;
De leurs doux feux
Leur âme est pleine.
Qu'ils sont heureux !
Nous pouvons tous deux,

---

1. Poitevins : originaires du Poitou, région du centre-ouest de la France.
2. Bocages : campagnes.
3. Ramages : chants des oiseaux dans les feuillages.

Si tu le veux,
Être comme eux.

> *Six autres Français viennent après, vêtus galamment*
> *à la poitevine, trois en hommes et trois en femmes,*
> *accompagnés de huit flûtes et de hautbois[1],*
> *et dansent les menuets.*

SIXIÈME ENTRÉE

> *Tout cela finit par le mélange des trois nations,*
> *et les applaudissements en danse et en musique*
> *de toute l'assistance, qui chante les deux vers*
> *qui suivent.*

315 *Quels spectacles charmants, quels plaisirs goûtons-nous!*
Les Dieux mêmes, les Dieux n'en ont point de plus doux.

---

1. **Hautbois**: instrument à vent.

Un quiz pour commencer

Cochez les bonnes réponses.

1 *Pourquoi Madame Jourdain se fâche-t-elle en découvrant le dîner ?*

☐ Parce qu'elle voulait faire la cuisine elle-même.

☐ Parce qu'elle n'y était pas invitée.

☐ Parce qu'elle comprend que son époux cherche à séduire Dorimène.

2 *Comment Covielle gagne-t-il la confiance de Monsieur Jourdain ?*

☐ En affirmant que le père de Monsieur Jourdain était noble.

☐ En se présentant comme le messager de Cléonte.

☐ En se faisant recommander par Dorante.

3 *Pour qui Cléonte se fait-il passer ?*

- ❏ Un maître en peinture.
- ❏ Un marquis.
- ❏ Le fils du Grand Turc.

4 *Qu'obtient Monsieur Jourdain en acceptant le mariage de sa fille ?*

- ❏ Un rendez-vous avec Dorimène.
- ❏ Le titre de *Mamamouchi*.
- ❏ Une riche récompense.

5 *Quelle annonce Dorimène fait-elle à Dorante ?*

- ❏ Elle accepte de l'épouser.
- ❏ Elle va recevoir une rente de Monsieur Jourdain.
- ❏ Elle va apprendre le turc avec Covielle.

6 *Pourquoi Dorante et Dorimène se joignent-ils à la fausse cérémonie turque orchestrée par Covielle ?*

- ❏ Par goût du déguisement.
- ❏ Par affection pour Cléonte.
- ❏ Pour se moquer de Monsieur Jourdain.

7 *Pourquoi Lucile et Madame Jourdain acceptent-elles finalement la demande en mariage du fils du Grand Turc ?*

- ❏ Parce qu'il est riche.
- ❏ Parce qu'elles ont reconnu Cléonte.
- ❏ Parce qu'on leur a promis le titre de *Mamamouchie*.

Des questions pour aller plus loin

→ *Comprendre le dénouement de la pièce*

Monsieur Jourdain, un naïf manipulé

1 Durant le dîner, comment Dorante parvient-il à empêcher Monsieur Jourdain de découvrir qu'il l'a trompé sur ses intentions ?

2 Dans la scène 2 de l'acte IV, quelle explication Dorante donne-t-il à Madame Jourdain pour calmer sa colère ? Pourquoi Monsieur Jourdain ne s'étonne-t-il pas de ce mensonge ?

3 Dans la scène 3 de l'acte IV, quelle stratégie Covielle met-il en place pour faire réussir la fausse cérémonie turque ?

4 Pourquoi Lucile puis Madame Jourdain prennent-elles finalement part à cette fausse cérémonie ? Comment Dorante trompe-t-il une dernière fois Monsieur Jourdain ?

5 Quelle(s) réplique(s) de Monsieur Jourdain révèle(nt) qu'il est toujours dans l'illusion à la fin de la pièce ?

Zoom sur la scène 5 de l'acte IV (p. 134-138)

6 Quelles sont les principales étapes de la cérémonie ? Pourquoi appelle-t-on cette scène une « turquerie » ?

7 (Lecture d'image) Observez la photographie reproduite en fin d'ouvrage, au verso de la couverture, en haut à gauche. Que symbolisent les accessoires de Monsieur Jourdain ?

8 Quels éléments comiques font de cette cérémonie une farce ?

9 Pourquoi peut-on dire de cette scène qu'il s'agit d'un spectacle dans le spectacle ?

Un final comique

10 Dans les scènes 3 à 5 de l'acte IV, quel effet produit la fausse langue turque sur Monsieur Jourdain ? Et sur le spectateur ?

11 Dans l'acte V, relevez au moins deux exemples dans lesquels Monsieur Jourdain emploie le langage de manière comique. Que pouvez-vous en conclure sur l'évolution du personnage ?

12 Dans la scène 5 de l'acte V, quel jeu de scène peut-on imaginer lorsque Cléonte se fait reconnaître de Lucile ?

Un dénouement ambigu

13 Que pense Madame Jourdain du comportement de son époux à la fin de la scène 1 de l'acte V ? Dans les scènes 2 et 6 de l'acte V, trouvez deux autres personnages qui sont du même avis.

14 Comment les différentes intrigues amoureuses se résolvent-elles lors du dénouement ?

15 Que célèbre le ballet des nations ? Selon vous, quel est son rôle ?

16 Quels sentiments le spectateur peut-il éprouver à l'égard de Monsieur Jourdain à la fin de la pièce ?

✔ Rappelez-vous !

• Dans une pièce de théâtre, le **dénouement** est le moment où les intrigues sont résolues. S'il s'agit d'une comédie, la fin est heureuse. Ainsi, *Le Bourgeois gentilhomme* s'achève par le mariage de trois couples d'amoureux et par le ballet des nations qui célèbre l'amour.

• Le personnage de Monsieur Jourdain constitue une **exception**: dupé par tous et proche de la folie, il reste plongé dans l'illusion la plus totale.

De la lecture à l'écriture

 Des mots pour mieux écrire

1 *Complétez les phrases suivantes avec les mots qui conviennent.*

| déguisé | fagoté | mascarade | masque | stratagème |

a. Pour mettre en scène sa _____, Covielle se présente _____ en émissaire turc auprès de Monsieur Jourdain.
b. Cléonte apparaît sous le _____ du fils du Grand Turc.
c. Madame Jourdain trouve son mari ridicule tant il est bizarrement _____ avec son turban de *Mamamouchi*.
d. Lucile accepte d'épouser le fils du Grand Turc quand elle découvre qu'il s'agit d'un _____ de Cléonte pour obtenir sa main.

2 a. *Identifiez l'intrus qui s'est glissé dans chacune des listes de mots suivants. Vous pouvez vous aider du dictionnaire.*

A. | Composition | Conjuration | Conspiration | Intrigue | Machination |

B. | Duperie | Feinte | Fourberie | Imposture | Lucidité |

C. | Chimère | Leurre | Mirage | Vérité | Vision |

b. *Dites à quel champ lexical appartiennent les mots de chacune de ces listes.*

169

À *vous d'écrire*

1 À la fin de la pièce, Nicole et les laquais racontent à un des garçons tailleurs la mascarade qui vient d'être organisée pour duper Monsieur Jourdain.

Consigne. Votre dialogue, d'une quinzaine de lignes, respectera la présentation d'une scène de théâtre. Nicole et les laquais mettront en évidence la naïveté comique de leur maître et riront des stratégies de Covielle et ses amis. N'oubliez pas de faire intervenir le garçon tailleur et pensez à rédiger des didascalies.

2 Imaginez que Madame Jourdain, prise à part par Covielle dans la dernière scène de la pièce, refuse de duper son mari. Inventez le discours qu'elle adresse à Covielle et à toute l'assistance.

Consigne. Votre monologue, d'une quinzaine de lignes, mettra en valeur l'indignation de Madame Jourdain vis-à-vis de la mascarade. Puis il évoquera l'amour de la vérité que cultive l'épouse du bourgeois gentilhomme et développera les arguments qu'elle oppose à Covielle.

Du texte à l'image

Histoire des arts

- Monsieur Jourdain (Hervé van der Meulen), dans la mise en scène de Laurent Serrano, Studio-Théâtre, Asnières, 2012.
- Monsieur Jourdain (Michel Robin) dans la mise en scène de Jean-Louis Benoît, Comédie-Française, Paris, 2001.
➡ **Images reproduites en couverture et en fin d'ouvrage, au verso de la couverture.**
- Rembrandt, *Portrait d'un Oriental*, huile sur bois, 1635, Rijksmuseum, Amsterdam.
- Jacopo Ligozzi, *Un homme avec un turban, un livre et un flamand*, aquarelle réalisée pour un ouvrage d'ethnologie, 1600, Florence.
➡ **Images reproduites dans le cahier photos, page IV.**

👁 Lire l'image

1 Décrivez les représentations du sultan sur les deux images du cahier photos. Quels points communs ont-elles ?

2 Retrouvez-vous ces éléments dans les photographies des deux mises en scène ? Quelles différences remarquez-vous dans les vêtements du personnage au premier plan de la photographie du haut ?

📄 Comparer le texte et l'image

3 À quel passage de la pièce les deux photographies correspondent-elles ? Quel personnage est mis en valeur et comment ?

4 Trouvez deux adjectifs pour qualifier l'atmosphère de chaque mise en scène. Laquelle vous semble plus inquiétante et pourquoi ?

📝 À vous de créer

5 Par groupes de deux ou trois élèves, étudiez les différentes représentations de Monsieur Jourdain dans les photographies reproduites en couverture, au verso de la couverture ainsi que dans le cahier central. Choisissez la version que vous préférez et préparez une courte argumentation que vous présenterez en classe.

Arrêt sur l'œuvre

Des questions sur l'ensemble de la pièce

Des intrigues amoureuses

1 Reliez chaque personnage à la personne dont il (elle) est amoureux(-se).

Monsieur Jourdain •   • Lucile

Cléonte •   • Dorimène

Covielle •   • Madame Jourdain

Dorante •   • Nicole

2 Quels obstacles rencontrent les personnages qui sont amoureux dans la pièce ? Quels stratagèmes mettent-ils en œuvre pour parvenir à leurs fins ?

3 Quel amour vous paraît moins sincère que les autres ? Pourquoi ?

Le mensonge au service de la comédie

4 Quels personnages trompent Monsieur Jourdain et pourquoi ?

5 Les mensonges dont est victime Monsieur Jourdain vous paraissent-ils vraisemblables ? En quoi sont-ils sources de comique ?

6 Certains personnages font cependant preuve de sincérité. Lesquels ? À quels moments ?

La critique de la société

7 Comment comprenez-vous le titre de la pièce ?

8 Récapitulez les défauts de Monsieur Jourdain mis en avant par la pièce. Quels autres personnages sont fortement critiqués ? Que peut-on en conclure sur le regard que Molière porte sur la société de son époque ?

Un spectacle total

9 (Lecture d'images) Observez les photographies reproduites en page I du cahier photos. Quels éléments de la comédie-ballet reconnaissez-vous ? Décrivez les choix des deux mises en scène : laquelle pourrait avoir lieu à l'époque de Molière ?

10 Recopiez le tableau suivant et complétez-le en donnant un exemple pour chaque type de comique.

Type de comique	Exemple
Comique de mots	
Comique de caractère	
Comique de geste	
Comique de situation	

11 En quoi peut-on dire que Covielle est un double de Molière ?

Des mots pour mieux écrire

Lexique de l'amour

Amant : amoureux.
Compliments : paroles élogieuses.
Constance : fidélité.
Déclaration : discours dans lequel on révèle son amour.
Désir : forte attirance pour une personne.
Flamme : amour

Galant : qui est courtois et attentionné envers une femme.
Jalousie : crainte qu'un être aimé, dont on aimerait avoir la possession exclusive, en aime un(e) autre.
Languir : souffrir du mal d'amour.
Passion : amour très intense.

Arrêt sur l'œuvre

Mots croisés

Tous les mots à placer dans la grille ci-contre se trouvent dans le lexique de l'amour ci-dessus.

Horizontalement

1. Cléonte reproche à Lucile d'en manquer dans l'acte III.
2. Madame Jourdain éprouve ce sentiment lorsqu'elle découvre le dîner offert à Dorimène.
3. Dorante en fait une à Dorimène dans l'acte III.

Verticalement

A. Covielle est celui de Nicole.
B. Dorante cherche à l'être auprès de Dorimène.
C. Dorante interrompt ceux que Monsieur Jourdain tente d'adresser à Dorimène.
D. Monsieur Jourdain voudrait la déclarer à Dorimène.

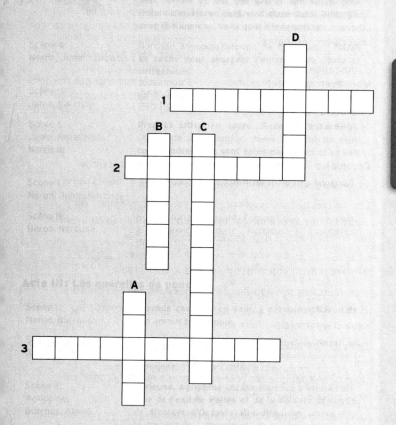

Lexique de l'argent

Bien: ce que l'on possède.
Débiteur: personne qui doit de l'argent à quelqu'un.
Libéralités: dons généreux.
Louer avec les mains: donner de l'argent en signe d'admiration.
Monnayer: échanger quelque chose contre de l'argent.
Pourboire: somme d'argent donnée à quelqu'un, en plus de son salaire, pour le remercier d'un service.
Rente: revenu régulier qui n'est pas obtenu en échange d'un travail.
Ruiner: faire perdre ses biens, sa fortune à quelqu'un.
S'acquitter: payer ce que l'on doit.
Vache à lait: personne à qui on soutire souvent et facilement de l'argent.

Complétez le texte suivant avec les termes du lexique de l'argent qui conviennent et accordez-les si nécessaire.

Les maîtres de musique et de danse souffrent que Monsieur Jourdain ne comprenne pas mieux leurs arts, mais ils trouvent des compensations dans le fait que celui-ci sache _____ _____ leurs œuvres, c'est-à-dire qu'il les _____ généreusement et leur assure ainsi une confortable _____.

Monsieur Jourdain apprécie les services des garçons tailleurs et leur donne un _____. Constatant sa générosité, ceux-ci le remercient pour ses _____.

Dorante doit beaucoup d'argent à Monsieur Jourdain. Il est donc son _____. Il prétend vouloir _____ de ses dettes, mais ce ne sont que des belles paroles. En réalité, il considère le bourgeois comme une _____.

Dorimène croit que Dorante dépense son _____ pour elle et craint qu'il ne se _____. Pour mettre fin à ces folles dépenses, elle accepte de se marier avec le Comte.

À vous de créer

1 *Jouer et mettre en scène un extrait du* Bourgeois gentilhomme

Par groupes de trois à quatre élèves, vous allez mettre en scène et interpréter un extrait du *Bourgeois gentilhomme*.

Étape 1. Choix et lecture préparatoire

– Choisissez une scène que vous aimeriez jouer et dont le nombre de personnages convient pour votre groupe (un élève pourra être le metteur en scène).

– Pensez à la place de cette scène dans l'ensemble de la pièce: quels événements la précèdent? quelle est la situation de chacun des personnages?

– Relisez la scène attentivement: quel est son enjeu? que voulez-vous mettre en valeur dans cette scène?

Étape 2. Mise en scène

– Répartissez-vous les rôles. Le metteur en scène pourra diriger les élèves comédiens et prendre des notes.

– En vous appuyant sur les didascalies, déterminez les postures, les gestes et les déplacements des personnages. Pensez aux intonations nécessaires pour donner vie à leurs sentiments.

– Repérez les accessoires nécessaires et imaginez les costumes et les décors de la scène.

Étape 3. Répétitions et représentation

– Pendant les répétitions, entraînez-vous d'abord avec votre texte, puis apprenez-le par cœur. Soyez attentif(-ve) au jeu de vos partenaires et parlez fort et distinctement pour le public.

– Interprétez la scène devant votre classe.

– Le metteur en scène pourra expliquer vos choix et ce que vous avez apporté à la scène.

2 🖉 *Réaliser un document présentant une salle de théâtre au temps de Molière*

Vous allez élaborer, sur ordinateur, un document présentant une salle de théâtre au temps de Molière.

Étape 1. Recherche des informations

– Grâce à un moteur de recherche internet, cherchez le schéma de l'hôtel de Bourgogne en 1647, dessiné par André Degaine dans *L'Histoire du théâtre dessinée*, Nizet, 1992. Tapez « schéma de l'hôtel de Bourgogne Degaine » dans la barre de recherche et cliquez dans l'onglet « Images » des résultats. Sélectionnez le schéma présent sur le site **www.lelivrescolaire.fr**. Enregistrez l'image dans vos documents.

– À l'aide d'un dictionnaire, cherchez les définitions des mots suivants : loges, lustres à chandelles, scène, spectateurs, gradins.

Étape 2. Réalisation du document

– Créez un nouveau document à l'aide d'un logiciel de traitement de texte. Nommez-le puis enregistrez-le dans votre ordinateur.

– Donnez un titre à votre document.

– Insérez le schéma d'André Degaine.

– Légendez votre schéma à l'aide de numéros et des mots dont vous avez cherché la définition.

Étape 3. Présentation

Une fois votre document terminé, présentez-le à votre classe :

– décrivez la configuration d'une salle de théâtre au temps de Molière ;

– expliquez quels éléments vous paraissent différents dans les salles de théâtre actuelles.

Groupements de textes

Groupement 1

Ambition et vanité au XVIIe siècle

Pierre Corneille, *L'Illusion comique*

Dans sa comédie en vers *L'Illusion comique*, écrite en 1636, Pierre Corneille (1606-1684) imagine un jeu d'illusions qui permet au magicien Alcandre de présenter à Pridamant la vie qu'a menée son fils Clindor depuis qu'il a disparu. Dans l'acte II, Pridamant découvre ainsi que ce dernier s'est mis au service de Matamore, un personnage qui se vante d'exploits militaires incertains...

MATAMORE

Mon armée? Ah, poltron[1]! ah, traître! pour leur mort
Tu crois donc que ce bras ne soit pas assez fort?
Le seul bruit de mon nom renverse les murailles,
Défait les escadrons[2], et gagne les batailles,
Mon courage invaincu contre les empereurs
N'arme que la moitié de ses moindres fureurs;

---

1. **Poltron**: peureux, lâche.
2. **Escadrons**: troupes de cavaliers.

D'un seul commandement que je fais aux trois Parques[1],
Je dépeuple l'État des plus heureux monarques[2] ;
La foudre est mon canon, les Destins mes soldats :
Je couche d'un revers mille ennemis à bas.
D'un souffle je réduis leurs projets en fumée,
Et tu m'oses parler cependant d'une armée !
Tu n'auras plus l'honneur de voir un second Mars[3] :
Je vais t'assassiner d'un seul de mes regards,
Veillaque[4]. Toutefois, je songe à ma maîtresse :
Ce penser[5] m'adoucit. Va, ma colère cesse,
Et ce petit archer[6] qui dompte tous les dieux
Vient de chasser la mort qui logeait dans mes yeux.
Regarde, j'ai quitté cette effroyable mine
Qui massacre, détruit, brise, brûle, extermine
Et pensant au bel œil qui tient ma liberté,
Je ne suis plus qu'amour, que grâce, que beauté.

CLINDOR

Ô Dieux ! en un moment que tout vous est possible !
Je vous vois aussi beau que vous étiez terrible,
Et ne crois point d'objet si ferme en sa rigueur[7],
Qu'il puisse constamment vous refuser son cœur.

MATAMORE

Je te le dis encor, ne sois plus en alarme[8] :
Quand je veux, j'épouvante ; et quand je veux je charme ;
Et, selon qu'il me plaît, je remplis tour à tour
Les hommes de terreur, et les femmes d'amour.

---

1. **Parques** : dans la mythologie, déesses qui président au destin des hommes.
2. **Monarques** : rois.
3. **Mars** : dieu de la guerre dans la mythologie latine.
4. **Veillaque** : personne sans honneur.
5. **Ce penser** : cette pensée.
6. **Petit archer** : allusion à Cupidon, dieu de l'amour dans la mythologie grecque, souvent représenté sous la forme d'un angelot armé d'un arc et de flèches.
7. **Objet si ferme en sa rigueur** : femme si insensible.
8. **Ne sois plus en alarme** : ne t'inquiète plus.

Du temps que ma beauté m'était inséparable[1],
Leurs persécutions[2] me rendaient misérable ;
Je ne pouvais sortir sans les faire pâmer[3],
Mille mouraient par jour à force de m'aimer,
J'avais des rendez-vous de toutes les princesses,
Les reines à l'envi mendiaient[4] mes caresses ;
Celle d'Éthiopie, et celle du Japon,
Dans leurs soupirs d'amour ne mêlaient que mon nom.
De passion pour moi deux sultanes tremblèrent ;
Deux autres, pour me voir, du sérail[5] s'échappèrent :
J'en fus mal quelque temps avec le Grand Seigneur.

Pierre Corneille, *L'Illusion comique*, [1639], acte II, scène 2,
Gallimard, « La bibliothèque Gallimard », 2000.

Molière, *Les Précieuses ridicules*

Dans *Les Précieuses*[6] *ridicules*, Molière (1622-1673) tourne en ridicule deux jeunes filles bourgeoises qui rêvent d'appartenir à une famille noble. Cathos et Magdelon ont rejeté avec snobisme les avances de La Grange et Du Croisy. Les deux amis décident alors de se venger de leur mépris en déguisant leur valet en faux marquis...

CATHOS. – Mon Dieu, ma chère, que ton père a la forme enfoncée dans la matière[7] ! que son intelligence est épaisse, et qu'il fait sombre dans son âme !

MAGDELON. – Que veux-tu, ma chère, j'en suis en confusion[8] pour lui. J'ai peine à me persuader que je puisse être

---

1. **Du temps que ma beauté m'était inséparable** : à l'apogée de ma beauté.
2. **Persécutions** : attentions excessives.
3. **Pâmer** : s'évanouir.
4. **À l'envi mendiaient** : rivalisaient pour obtenir.
5. **Sérail** : partie du palais réservée aux femmes dans l'Empire ottoman.
6. **Précieuses** : femmes nobles qui, au début du XVIIe siècle, s'efforçaient de raffiner au plus haut point leurs comportements et leur langage.
7. **A la forme enfoncée dans la matière** : manque de finesse (expression précieuse).
8. **J'en suis en confusion** : j'en suis gênée.

véritablement sa fille, et je crois que quelque aventure[1], un jour, me viendra développer[2] une naissance plus illustre[3].

CATHOS. – Je le croirais bien, oui, il y a toutes les apparences du monde ; et pour moi, quand je me regarde aussi…

MAROTTE. – Voilà un laquais, qui demande si vous êtes au logis, et dit que son maître vous veut venir voir.

MAGDELON. – Apprenez, sotte, à vous énoncer moins vulgairement. Dites : « Voilà un nécessaire qui demande si vous êtes en commodité d'être visibles. »

MAROTTE. – Dame, je n'entends point le latin, et je n'ai pas appris, comme vous, la filofie[4] dans *Le Grand Cyre*[5].

MAGDELON. – L'impertinente ! Le moyen de souffrir[6] cela ! Et qui est-il, le maître de ce laquais ?

MAROTTE. – Il me l'a nommé le marquis de Mascarille.

MAGDELON. – Ah, ma chère, un marquis ! Oui, allez dire qu'on nous peut voir. C'est sans doute un bel esprit, qui aura ouï[7] parler de nous.

CATHOS. – Assurément, ma chère.

MAGDELON. – Il faut le recevoir dans cette salle basse[8], plutôt qu'en notre chambre ; ajustons un peu nos cheveux au moins, et soutenons notre réputation. Vite, venez nous tendre ici dedans le conseiller des grâces.

---

1. **Aventure** : ici, événement inattendu.
2. **Développer** : révéler.
3. **Illustre** : noble.
4. Marotte, la domestique de Magdelon, veut parler ici de la philosophie.
5. Marotte fait allusion à *Artamène ou le Grand Cyrus*, long roman de Mademoiselle de Scudéry (1607-1701), célèbre écrivain du mouvement précieux.
6. **Souffrir** : supporter.
7. **Ouï** : entendu.
8. **Salle basse** : salon situé au rez-de-chaussée.

MAROTTE. – Par ma foi, je ne sais point quelle bête c'est là; il faut parler chrétien[1], si vous voulez que je vous entende[2].

CATHOS. – Apportez-nous le miroir, ignorante que vous êtes. Et gardez-vous bien d'en salir la glace, par la communication de votre image.

Molière, Les Précieuses ridicules [1659], scènes 5 et 6,
Gallimard, «Folioplus classiques», 2009.

Molière, *L'École des femmes*

Dans *L'École des femmes* (1662), Molière dresse le portrait d'un bourgeois, Arnolphe, qui prétend se faire appeler «Monsieur de la Souche» pour augmenter sa renommée. Son ami Chrysale s'interroge sur cette étrange démarche…

Groupements de textes

CHRYSALDE

Je me réjouis fort, Seigneur Arnolphe…

ARNOLPHE

Bon;

Me voulez-vous toujours appeler de ce nom?

CHRYSALDE

Ah! malgré que j'en aie[3], il me vient à la bouche,
Et jamais je ne songe à Monsieur de la Souche.
Qui diable vous a fait aussi vous aviser[4]
À quarante et deux ans de vous débaptiser[5],
Et d'un vieux tronc pourri de votre métairie[6],
Vous faire dans le monde un nom de seigneurie?

---

1. **Parler chrétien**: s'exprimer comme tout le monde.
2. **Entende**: comprenne.
3. **Malgré que j'en aie**: malgré moi.
4. **Aviser**: prendre la décision.
5. **Débaptiser**: changer de nom de famille.
6. **Métairie**: propriété.

ARNOLPHE

Outre que la maison par ce nom se connaît,
La Souche, plus qu'Arnolphe, à mes oreilles plaît.

CHRYSALDE

Quel abus, de quitter le vrai nom de ses pères,
Pour en vouloir prendre un bâti sur des chimères[1] !
De la plupart des gens c'est la démangeaison[2] ;
Et sans vous embrasser dans la comparaison,
Je sais[3] un paysan, qu'on appelait Gros-Pierre,
Qui n'ayant, pour tout bien, qu'un seul quartier de terre,
Y fit tout à l'entour faire un fossé bourbeux[4],
Et de Monsieur de l'Isle en prit le nom pompeux[5].

ARNOLPHE

Vous pourriez vous passer d'exemples de la sorte :
Mais enfin de la Souche est le nom que je porte ;
J'y vois de la raison, j'y trouve des appas[6],

CHRYSALDE

Cependant la plupart ont peine à s'y soumettre,
Et je vois même encor des adresses de lettre…

ARNOLPHE

Je le souffre[7] aisément de qui n'est pas instruit[8] ;
Mais vous…

CHRYSALDE

Soit. Là-dessus nous n'aurons point de bruit[9],

---

1. **Chimères** : illusions.
2. **Démangeaison** : manie.
3. **Sais** : connais.
4. **Bourbeux** : plein de boue.
5. **Pompeux** : prétentieux.
6. **Appas** : attraits.
7. **Souffre** : supporte.
8. **Instruit** : informé.
9. **Bruit** : dispute.

Et je prendrai le soin d'accoutumer ma bouche
À ne plus vous nommer que Monsieur de la Souche.

ARNOLPHE

Adieu ; je frappe ici, pour donner le bonjour,
Et dire seulement, que je suis de retour.

CHRYSALDE, *s'en allant.*

Ma foi je le tiens fou de toutes les manières.

Molière, *L'École des Femmes* [1662], acte I, scène 1,
Belin-Gallimard, « Classico », 2013.

Jean de La Fontaine, *La Grenouille qui se veut faire aussi grosse que le Bœuf*

Dans son premier recueil des *Fables*, en 1668, Jean de La Fontaine (1621-1695) fait le portrait d'une naïve grenouille qui multiplie les efforts, dans l'espoir d'égaler la taille d'un bœuf. La morale de la fable invite à réfléchir à la prétention de certaines personnes qui cherchent à se donner plus d'importance qu'elles n'en ont.

Groupements de textes

Une Grenouille vit un Bœuf
Qui lui sembla de belle taille.
Elle qui n'était pas grosse en tout comme un œuf,
Envieuse[1] s'étend, et s'enfle, et se travaille[2]
Pour égaler l'animal en grosseur,
Disant : « Regardez bien, ma sœur ;
Est-ce assez ? dites-moi ; n'y suis-je point encore ?
– Nenni[3]. – M'y voici donc ? – Point du tout. – M'y voilà ?
– Vous n'en approchez point. » La chétive pécore[4]
S'enfla si bien qu'elle creva[5].

———————

1. Envieuse : jalouse.
2. Se travaille : fait des efforts.
3. Nenni : non.
4. Chétive pécore : frêle animal.
5. Creva : éclata.

Le monde est plein de gens qui ne sont pas plus sages :
Tout Bourgeois veut bâtir comme les grands Seigneurs,
Tout petit Prince a des Ambassadeurs[1],
Tout Marquis veut avoir des Pages[2].

Jean de La Fontaine, *Fables* [1668], livre I, fable 3,
Belin-Gallimard, « Classico », 2012.

Jean de La Bruyère, *Les Caractères*

En 1688, Jean de La Bruyère (1645-1696) dresse un portrait critique de la société de son temps. Dans *Les Caractères*, le moraliste dénonce les défauts de ses contemporains, comme la vanité, illustrée à travers l'exemple d'Arrias.

Arrias a tout lu, a tout vu, il veut le persuader[3] ainsi ; c'est un homme universel[4], et il se donne pour tel : il aime mieux mentir que de se taire ou de paraître ignorer quelque chose. On parle à la table d'un grand[5] d'une cour du Nord : il prend la parole, et l'ôte à ceux qui allaient dire ce qu'ils en savent ; il s'oriente dans cette région lointaine comme s'il en était originaire ; il discourt des mœurs[6] de cette cour, des femmes du pays, de ses lois et de ses coutumes ; il récite des historiettes[7] qui y sont arrivées ; il les trouve plaisantes, et il en rit le premier jusqu'à éclater[8]. Quelqu'un se hasarde[9] de le contredire, et lui prouve nettement qu'il dit des choses qui ne sont pas vraies. Arrias ne se trouble point, prend feu[10] au contraire contre

---

1. **Ambassadeurs** : représentants du chef de l'État dans les pays étrangers.
2. **Pages** : jeunes hommes au service d'un noble.
3. **Persuader** : faire croire.
4. **Universel** : ici, doué de connaissances multiples.
5. **Grand** : noble.
6. **Discourt des mœurs** : commente les façons de vivre.
7. **Historiettes** : anecdotes.
8. **Jusqu'à éclater** : très bruyamment.
9. **Se hasarde** : se risque.
10. **Prend feu** : se fâche.

l'interrupteur[1]: «Je n'avance, lui dit-il, je ne raconte rien que je ne sache d'original: je l'ai appris de *Sethon*, ambassadeur de France dans cette cour, revenu à Paris depuis quelques jours, que je connais familièrement[2], que j'ai fort interrogé, et qui ne m'a caché aucune circonstance.» Il reprenait le fil de sa narration avec plus de confiance qu'il ne l'avait commencée, lorsque l'un des conviés[3] lui dit: «C'est Sethon à qui vous parlez, lui-même, et qui arrive de son ambassade.»

Jean de La Bruyère, *Les Caractères* [1688], «De la société», IX, Gallimard, «Folio Classique», 1975.

---

1. **Interrupteur**: personne qui l'interrompt.
2. **Que je connais familièrement**: qui est un de mes amis.
3. **Conviés**: invités.

L'Orient dans la littérature

Les Mille et Une Nuits

Les *Mille et Une Nuits* est un recueil anonyme de contes orientaux transmis oralement pendant des siècles avant d'être transcrits au XIIIe siècle. Mais ce n'est qu'au XVIIIe siècle, grâce au travail d'Antoine Galland, que le recueil prendra sa forme définitive, dans une traduction qui aura une influence déterminante sur le développement de l'orientalisme en Europe. Dans ces récits, Shéhérazade raconte au sultan Shariar des histoires merveilleuses, comme celle d'Aladdin, qui découvre un jour une étrange lampe aux pouvoirs insoupçonnés...

[Aladdin] dormit toute la nuit d'un profond sommeil, et ne se réveilla le lendemain que fort tard. Il se leva ; et la première chose qu'il dit à sa mère, ce fut qu'il avait besoin de manger, et qu'elle ne pouvait lui faire un plus grand plaisir que de lui donner à déjeuner. « Hélas ! mon fils, lui répondit sa mère, je n'ai pas seulement un morceau de pain à vous donner ; vous mangeâtes hier au soir le peu de provisions qu'il y avait dans la maison ; mais donnez-vous un peu de patience, je ne serai pas longtemps à vous en apporter. J'ai un peu de fil de coton de mon travail ; je vais le vendre, afin de vous acheter du pain et quelque chose pour notre dîner. Ma mère, reprit Aladdin, réservez votre fil de coton pour une autre fois, et donnez-moi la lampe que j'apportai hier ; j'irai la vendre, et l'argent que j'en aurai servira à nous avoir de quoi déjeuner et dîner, et peut-être de quoi souper. »

La mère d'Aladdin prit la lampe où elle l'avait mise. « La voilà, dit-elle à son fils, mais elle est bien sale ; pour peu qu'elle soit nettoyée, je crois qu'elle en vaudra quelque chose davantage. » Elle prit de l'eau et un peu de sable fin pour la nettoyer ; mais à peine eut-elle commencé à frotter cette lampe qu'en un instant, en présence de son fils, un génie hideux et d'une grandeur gigantesque s'éleva et parut devant elle, et lui dit d'une voix tonnante : *Que veux-tu ? Me voici prêt à t'obéir comme ton esclave, et de tous ceux qui ont la lampe à la main, moi avec les autres esclaves de la lampe.*

La mère d'Aladdin n'était pas en état de répondre : sa vue n'avait pu soutenir la figure hideuse et épouvantable du génie ; et sa frayeur avait été si grande dès les premières paroles qu'il avait prononcées qu'elle était tombée évanouie.

Aladdin, qui avait déjà eu une apparition à peu près semblable dans le caveau[1], sans perdre de temps ni le jugement, se saisit promptement de la lampe, et, en suppléant au défaut de sa mère[2], il répondit pour elle d'un ton ferme. « J'ai faim, dit-il au génie, apporte-moi de quoi manger. » Le génie disparut, et un instant après il revint chargé d'un grand bassin d'argent qu'il portait sur sa tête, avec douze plats couverts de même métal, plein d'excellents mets arrangés dessus, avec six grands pains blancs comme neige sur les plats, deux bouteilles de vin exquis, et deux tasses d'argent à la main. Il posa le tout sur le sofa[3], et aussitôt il disparut.

Les Mille et Une Nuits [XIIIe s.], trad. par A. Galland,
Flammarion, « GF », 2004.

**Groupements
de textes**

Marco Polo, *Le Livre des Merveilles*

Le Devisement du monde, plus connu sous le nom de *Livre des Merveilles*, est le plus célèbre récit de voyage du Moyen Âge. Le marchand vénitien Marco Polo (1254-1324) y décrit son extraordinaire voyage de vingt-quatre années en Orient. Il y fait notamment le récit de la splendeur de la cour du Grand Khan, l'empereur de Chine, où il vécut plusieurs années, récit qui fascina l'Europe entière.

---

1. À la demande d'un magicien qui s'est fait passer pour son oncle, Aladdin s'est rendu dans une grotte. C'est là qu'il a découvert la lampe merveilleuse.

2. En suppléant au défaut de sa mère : en remplaçant sa mère.

3. Sofa : canapé.

Sachez que le Grand Khan[1] demeure dans la capitale du Catay, nommée Pékin, trois mois par an : décembre, janvier et février. C'est dans cette ville qu'il a son palais, que je vais maintenant vous décrire. [...]

C'est le plus grand qu'on ait jamais vu.

Il n'a pas d'étage mais le pavement[2] est bien dix paumes plus élevé que le sol alentour et le toit est très haut. Les murs des salles et des chambres sont tous couverts d'or et d'argent et on y a peint des dragons, des bêtes, des oiseaux, des chevaliers, et toutes sortes d'animaux. Le plafond est ainsi fait que l'on n'y aperçoit rien d'autre que de l'or et des peintures. La salle est si vaste que six mille hommes pourraient bien y prendre leurs repas. Les chambres sont nombreuses que c'est un spectacle extraordinaire. Ce palais est si grand et superbe que personne ne pourrait en concevoir un qui soit mieux fait. Les tuiles du toit sont toutes vermeilles[3], vertes, bleues, jaunes et de toutes les couleurs. Elles sont si bien vernissées[4] qu'elles resplendissent comme du cristal, de sorte qu'on les voit briller de très loin à la ronde ; et sachez que cette toiture est si solide et résistante qu'elle dure beaucoup d'années. [...]

J'ajoute que vers le nord, à une distance d'une portée d'arbalète[5], il a fait faire une colline qui a bien cent pas de hauteur et un mille de tour et ce mont est couvert d'arbres qui ne perdent pas leurs feuilles et sont toujours verts. Je peux vous dire que, dès que le Grand Khan apprend qu'il y a un bel arbre, il le fait transporter avec toutes ses racines et la terre où il a poussé et à l'aide d'éléphants on l'amène sur cette colline ; peu importe la grosseur de l'arbre. C'est ainsi qu'on trouve là les plus beaux arbres du monde. Je dois aussi vous dire que le grand roi a fait recouvrir toute cette colline de roche de lapis-lazuli[6] de

---

1. **Grand Khan** : surnom de Kubilaï Khan (1215-1294), empereur de Chine.
2. **Pavement** : revêtement de sol.
3. **Vermeilles** : d'un rouge vif.
4. **Vernissées** : recouvertes d'un vernis.
5. **Arbalète** : arme en forme d'arc.
6. **Lapis-lazuli** : pierre précieuse.

couleur verte, de sorte que tout est vert, les arbres comme le sol ; c'est pourquoi la colline s'appelle *le mont vert*. Au beau milieu du sommet, il y a un grand et beau palais, lui-même tout vert. L'ensemble de la colline, des arbres et du palais offre un si beau spectacle que tous ceux qui le voient en éprouvent plaisir et joie : c'est pour cette raison que le Grand Khan l'a fait faire, afin d'offrir ce beau spectacle qui procure réconfort et plaisir.

Marco Polo, *Le Devisement du monde ou le Livre des merveilles* [1299], trad. de l'ancien français par V. d'Aignan, LXXXIV, Gallimard, « La bibliothèque Gallimard », 1998. © Éditions Gallimard.

Jean Racine, *Bajazet*

En 1672, Racine (1639-1699) s'inspire, pour sa pièce *Bajazet*, de l'histoire récente de l'Empire ottoman où le cruel sultan Murad IV a fait exécuter ses frères, pour éliminer des rivaux potentiels. Dans l'acte IV, le sultan, prénommé dans la pièce Amurat, s'apprête à revenir victorieux d'une guerre contre Babylone et exige que son frère Bajazet soit exécuté avant son retour. Or Roxane et Atalide sont toutes deux amoureuses de Bajazet...

ROXANE

Il est tard de vouloir s'opposer au vainqueur.

ATALIDE

Oh, ciel !

ROXANE

Le temps n'a point adouci sa rigueur[1].
Vous voyez dans mes mains sa volonté suprême.

ATALIDE

Et que vous mande[2]-t-il ?

---

1. Le temps n'a point adouci sa rigueur : le temps ne l'a pas rendu moins cruel.
2. Mande : ordonne.

ROXANE

Voyez : lisez vous-même.
Vous connaissez, madame, et la lettre et le seing[1].

ATALIDE

Du cruel Amurat je reconnais la main.

« Avant que Babylone éprouvât[2] ma puissance,
Je vous ai fait porter mes ordres absolus :
Je ne veux point douter de votre obéissance
Et crois que maintenant Bajazet ne vit plus.
Je laisse sous mes lois Babylone asservie[3],
Et confirme en partant mon ordre souverain.
Vous, si vous avez soin de votre propre vie,
Ne vous montrez à moi que sa tête à la main. »

ROXANE

Hé bien ?

ATALIDE, *à part.*

Cache tes pleurs, malheureuse Atalide.

ROXANE

Que vous semble ?

ATALIDE

Il poursuit son dessein parricide[4].
Mais il pense proscrire[5] un prince sans appui :
Il ne sait pas l'amour qui vous parle pour lui ;
Que vous et Bajazet vous ne faites qu'une âme ;
Que, plutôt, s'il le faut, vous mourrez…

Groupements de textes

1. **Seing** : signature.
2. **Éprouvât** : sente les effets de.
3. **Asservie** : soumise.
4. **Dessein parricide** : ici, intention de tuer son frère.
5. **Proscrire** : éliminer.

ROXANE

                              Moi, Madame ?

Je voudrais le sauver, je ne le puis haïr ;
Mais...

ATALIDE

    Quoi donc ? qu'avez-vous résolu[1] ?

ROXANE

                    D'obéir.

ATALIDE

D'obéir !

ROXANE

        Et que faire en ce péril extrême ?
Il le faut.

ATALIDE

        Quoi ! ce prince aimable... qui vous aime,
Verra finir ses jours qu'il vous a destinés !

ROXANE

Il le faut, et déjà mes ordres sont donnés.

Jean Racine, *Bajazet* [1672], acte IV, scène 3,
Gallimard, « Folio théâtre », 1995.

Groupements
de textes

---
1. **Résolu** : décidé.

Montesquieu, *Lettres persanes*

Au XVIIIe siècle, l'Orient et le goût des voyages sont à la mode. Montesquieu (1689-1755) imagine ainsi dans *Les Lettres persanes* (1721) une correspondance fictive entre deux voyageurs qui parcourent l'Europe, Usbek et Rica, et leurs amis persans. Cet artifice littéraire permet à Montesquieu de montrer au lecteur un Orient idéalisé tout en critiquant les mœurs de la société française de son époque.

LETTRE 2
USBEK AU PREMIER EUNUQUE[1] NOIR.
À son sérail[2] d'Ispahan[3].

Tu es le gardien fidèle des plus belles femmes de Perse[4] : je t'ai confié ce que j'avais dans le monde de plus cher : tu tiens en tes mains les clefs de ces portes fatales[5], qui ne s'ouvrent que pour moi. Tandis que tu veilles sur ce dépôt précieux de mon cœur, il se repose, et jouit d'une sécurité entière. Tu fais la garde dans le silence de la nuit, comme dans le tumulte[6] du jour. Tes soins infatigables soutiennent la vertu[7], lorsqu'elle chancelle. Si les femmes que tu gardes voulaient sortir de leur devoir, tu leur en ferais perdre l'espérance. Tu es le fléau du vice[8], et la colonne de la fidélité.

Tu leur commandes, et leur obéis ; tu exécutes aveuglément toutes leurs volontés, et leur fais exécuter de même les lois du sérail : tu trouves de la gloire à leur rendre les services les plus vils[9] : tu te soumets, avec respect et avec crainte, à leurs ordres légitimes : tu les sers comme l'esclave de leurs esclaves.

---

1. **Eunuque** : gardien du harem.
2. **Sérail** : partie du palais réservée aux femmes dans l'Empire ottoman.
3. **Ispahan** : ancienne capitale de la Perse, ville de l'actuel Iran.
4. **Perse** : nom de l'Iran jusqu'au Moyen Âge.
5. L'accès au sérail était réservé au sultan et aux eunuques. Toute autre personne qui s'y risquait était punie de mort.
6. **Tumulte** : agitation, bruit.
7. **Vertu** : ici, fidélité.
8. **Fléau du vice** : celui qui punit l'infidélité.
9. **Vils** : ici, ingrats.

Mais, par un retour d'empire[1], tu commandes en maître comme moi-même, quand tu crains le relâchement des lois de la pudeur[2] et de la modestie.

Souviens-toi toujours du néant d'où je t'ai fait sortir, lorsque tu étais le dernier de mes esclaves, pour te mettre en cette place, et te confier les délices de mon cœur : tiens-toi dans un profond abaissement[3] auprès de celles qui partagent mon amour ; mais fais-leur, en même temps, sentir leur extrême dépendance[4]. Procure-leur tous les plaisirs qui peuvent être innocents : trompe leurs inquiétudes : amuse-les par la musique, les danses, les boissons délicieuses : persuade-leur de s'assembler[5] souvent. Si elles veulent aller à la campagne, tu peux les y mener : mais fais faire main basse[6] sur tous les hommes qui se présenteront devant elles. Exhorte-les[7] à la propreté, qui est l'image de la netteté de l'âme : parle-leur quelquefois de moi. Je voudrais les revoir dans ce lieu charmant qu'elles embellissent. Adieu.

De Tauris, le 18 de la lune de Saphar, 1711.

Montesquieu, *Lettres persanes* [1721],
Belin-Gallimard, « Classico », 2013.

Groupements de textes

Victor Hugo, *Les Orientales*, « Rêverie »

Avec *Les Orientales* (1829), Victor Hugo (1802-1885) s'inscrit dans l'orientalisme, un courant littéraire et artistique qui se développe au XIXe siècle. Dans le poème « Rêverie », il met en scène un narrateur qui rêve de changement, d'un ailleurs exotique symbolisé par la ville orientale, pour s'évader de son quotidien.

---

1. **Empire** : autorité.
2. **Pudeur** : retenue qui empêche de dire ou faire ce qui serait contraire à la décence.
3. **Abaissement** : humilité, modestie.
4. **Dépendance** : soumission.
5. **S'assembler** : se retrouver pour discuter.
6. **Fais faire main basse** : empare-toi.
7. **Exhorte-les** : encourage-les.

Oh! laissez-moi! c'est l'heure où l'horizon qui fume
Cache un front inégal sous un cercle de brume,
L'heure où l'astre géant[1] rougit et disparaît.
Le grand bois jaunissant dore seul la colline :
On dirait qu'en ces jours où l'automne décline,
Le soleil et la pluie ont rouillé la forêt.

Oh! qui fera surgir soudain, qui fera naître,
Là-bas, – tandis que seul je rêve à la fenêtre
Et que l'ombre s'amasse au fond du corridor[2], –
Quelque ville mauresque[3], éclatante, inouïe[4],
Qui, comme la fusée en gerbe épanouie,
Déchire ce brouillard avec ses flèches d'or[5]!

Qu'elle vienne inspirer, ranimer, ô génies!
Mes chansons, comme un ciel d'automne rembrunies[6],
Et jeter dans mes yeux son magique reflet,
Et longtemps, s'éteignant en rumeurs étouffées,
Avec les mille tours de ses palais de fées,
Brumeuse, denteler[7] l'horizon violet!

Victor Hugo, « Rêverie », *Les Orientales* [1829], dans *Anthologie poétique*,
Belin-Gallimard, « Classico », 2015.

Pierre Loti, *Les Désenchantées*

Pierre Loti (1850-1923) a puisé l'inspiration de ses romans dans ses
nombreux voyages. Dans *Les Désenchantées* (1906), son narrateur,
André Lhéry, reçoit une lettre d'Istanbul. Sa lecture fait ressurgir
les souvenirs envoûtants de ses voyages en Turquie.

1. **L'astre géant** : métaphore qui désigne le soleil.
2. **Corridor** : couloir.
3. **Mauresque** : arabe.
4. **Inouïe** : extraordinaire.
5. **Flèches d'or** : coupoles, toits dorés.
6. **Rembrunies** : assombries.
7. **Denteler** : découper finement comme une dentelle.

Le courrier de ce matin en contenait une timbrée de Turquie, avec un cachet de la poste où se lisait, net et clair, ce nom toujours troublant pour André : Stamboul[1].

Stamboul ! Dans ce seul mot, quel sortilège évocateur[2] !… Avant de déchirer l'enveloppe de celle-ci, qui pouvait fort bien être tout à fait quelconque[3], André s'arrêta, traversé soudain par ce frisson, toujours le même et d'ordre essentiellement inexprimable, qu'il avait éprouvé chaque fois que Stamboul s'évoquait à l'improviste au fond de sa mémoire, après des jours d'oubli. Et, comme déjà si souvent en rêve, une silhouette de ville s'esquissa[4] devant ses yeux qui avaient vu toute la terre, qui avaient contemplé l'infinie diversité du monde : la ville des minarets[5] et des dômes[6], la majestueuse et l'unique, l'incomparable encore dans sa décrépitude[7] sans retour, profilée hautement sur le ciel, avec le cercle bleu de la Marmara[8] fermant l'horizon… […]

Et puis aussi, c'était comme un appel de la Turquie à l'homme qui l'avait tant aimée jadis, mais qui n'y revenait plus. La mer de Biscaye[9], ce jour-là, ce jour d'avril indécis, dans la lumière encore hivernale, se révéla tout à coup d'une mélancolie[10] intolérable à ses yeux, mer pâlement verte avec les grandes volutes[11] de sa houle presque éternelle, ouverture béante sur des immensités trop infinies qui attirent et qui inquiètent. Combien la Marmara, revue en souvenir, était plus douce, plus apaisante et endormeuse avec ce mystère d'Islam

Groupements de textes

---

1. Stamboul : ancien nom d'Istanbul, ville située dans l'actuelle Turquie et capitale de l'Empire ottoman (1453-1923).
2. Sortilège évocateur : nom qui semble doué d'un pouvoir magique et fait voyager.
3. Quelconque : banale.
4. S'esquissa : commença à apparaître.
5. Minarets : tours d'une mosquée d'où le muezzin appelle les musulmans à la prière.
6. Dômes : coupoles.
7. Décrépitude : délabrement.
8. Marmara : mer reliant la mer Noire à la mer Méditerranée.
9. Mer de Biscaye : aussi appelée mer Cantabrique et située au large des pays basques français et espagnol.
10. Mélancolie : tristesse qui n'a pas de cause précise.
11. Volutes : ici, rouleaux.

tout autour de ses rives! Le pays Basque, dont il avait été parfois épris, ne lui paraissait plus valoir la peine de s'y arrêter; l'esprit du vieux temps qui, jadis, lui avait semblé vivre encore dans les campagnes pyrénéennes, dans les antiques villages d'alentour – même jusque devant ses fenêtres, là, dans cette vieille cité de Fontarabie, malgré l'invasion des villas imbéciles –, le vieil esprit basque, non, aujourd'hui il ne le retrouvait plus. Oh! là-bas à Stamboul, combien davantage il y avait de passé et d'ancien rêve humain, persistant à l'ombre des hautes mosquées, dans les rues oppressantes[1] de silence, et dans la région sans fin des cimetières où les veilleuses à petite flamme jaune s'allument le soir par milliers pour les âmes des morts! Oh! ces deux rives qui se regardent, l'Europe et l'Asie, se montrant l'une à l'autre des minarets et des palais tout le long du Bosphore[2], avec de continuels changements d'aspect, aux jeux de la lumière orientale! Auprès de la féerie[3] du Levant[4], quoi de plus morne[5] et de plus âpre[6] que ce golfe de Gascogne! Comment donc y demeurait-il au lieu d'être là-bas? Quelle inconséquence[7] de perdre ici les jours comptés de la vie, quand là-bas était le pays des enchantements légers, des griseries[8] tristes et exquises par quoi la fuite du temps est oubliée!…

Pierre Loti, *Les Désenchantées* [1906], Aubéron, 2003.

---

1. **Oppressantes**: étouffantes.
2. **Bosphore**: détroit qui relie la Mer Noire et la mer de Marmara.
3. **Féerie**: spectacle magnifique.
4. **Levant**: ensemble de pays qui correspond à l'actuel Proche-Orient.
5. **Morne**: monotone et triste.
6. **Âpre**: rude
7. **Inconséquence**: folie.
8. **Griseries**: euphories, excitations.

Autour de l'œuvre

Interview imaginaire de Molière

▶▶ *Molière, est-ce votre vrai nom ?*

Mon véritable nom est Jean-Baptiste Poquelin. Je suis né en janvier 1622, à Paris, dans une famille bourgeoise. C'est en 1644 que je prends le pseudonyme de Molière comme nom de théâtre.

▶▶ *Comment êtes-vous devenu comédien et dramaturge ?*

Molière
(1622-1673)

J'ai toujours aimé le théâtre : dans mon enfance, mon grand-père maternel m'emmenait souvent voir des représentations et j'adorais le jeu des troupes ambulantes et des comédiens italiens. Comme mon père était tapissier du roi, mon destin aurait dû être tout tracé. Pourtant, je me suis intéressé au droit. J'ai même obtenu mon diplôme d'avocat. Mais ma rencontre avec les Béjart, une incroyable famille de comédiens, a changé ma vie. À vingt et un ans, j'ai créé ma compagnie, l'Illustre-Théâtre, avec Madeleine Béjart, dont j'étais tombé amoureux.

▶▶ Le succès a-t-il été immédiat ?

Non. Nos débuts ont été très difficiles. Même en jouant des tragédies à la mode, le public était peu nombreux. Rapidement, nous avons eu des difficultés à faire face aux dépenses de rénovation du théâtre, de décors et de costumes, de chandelles... Les dettes s'accumulant, on m'a jeté quelques jours en prison !

▶▶ Comment avez-vous réagi, après cet échec ?

Les Béjart et moi avons décidé de quitter Paris pour devenir une troupe ambulante. De 1646 à 1658, nous avons ainsi parcouru la France, jouant sur des tréteaux ou des scènes improvisées. Cette expérience nous a permis de perfectionner notre art auprès de publics variés et de renforcer notre groupe avec l'arrivée de Catherine de Brie, Gros-René et de la très jolie Marquise du Parc, par exemple.

J'ai commencé à écrire mes premières pièces et à préférer la comédie à la tragédie. Sur scène, mon talent me portait tout naturellement vers le comique et cela plaisait au public. C'est ainsi que nous avons connu nos premiers succès.

Pour vivre, notre troupe avait besoin d'un riche protecteur. Quand Monsieur, le frère du roi, a entendu parler de nous et nous a accordé son soutien en 1658, nous sommes revenus à Paris. Il nous a présentés à Louis XIV qui, séduit par *Le Docteur amoureux*, nous a installés au Théâtre du Petit-Bourbon avec les comédiens italiens.

▶▶ En quoi le soutien du roi a-t-il été important pour vous ?

Il a été décisif car il nous a apporté la consécration dont rêve tout comédien. Le roi nous a aussi soutenus contre nos puissants ennemis, ceux qui étaient jaloux de notre succès ou ceux qui se sentaient critiqués dans mes pièces. Ainsi, lorsque certains ont fait détruire notre salle du Petit-Bourbon en 1661, Louis XIV nous a immédiatement installés au théâtre du Palais-Royal. Puis il nous a accordé le prestigieux titre de « troupe officielle du roi », en 1665.

Pendant cette période fructueuse, j'ai écrit de nombreuses pièces qui assureront ma renommée : *Les Précieuses ridicules* (1659) *Tartuffe* (1664), *Dom Juan* (1665), *Le Misanthrope* et *Le Médecin malgré lui* (1666), *L'Avare* (1668), *Les Femmes savantes* (1672)…

En m'associant au grand musicien Jean-Baptiste Lully, j'ai inventé la comédie-ballet, qui mêle théâtre, musique et danse. Ce genre a connu un grand succès, en particulier à la cour, où le roi organisait de grandes fêtes, dont je suis devenu l'organisateur. Parmi nos plus célèbres comédies-ballets, on compte : *L'Amour médecin* (1665), *Le Bourgeois gentilhomme* (1670) et *Le Malade imaginaire* (1673). Bien sûr, certaines de mes pièces ont fait scandale, comme *Tartuffe*, mais le public nous a toujours été fidèle et je suis fier d'avoir pu donner ses lettres de noblesse à un genre autrefois considéré comme mineur.

▶▶ *Quel accueil le public a-t-il réservé au* Bourgeois gentilhomme *?*

Le roi m'avait demandé une pièce dans laquelle les Turcs seraient ridiculisés. À la fin de la première représentation, il n'a pas dit un mot, ce qui m'a causé une grande anxiété. Aussitôt, les courtisans ont commencé à me critiquer. Cependant, à l'issue de la seconde représentation, Louis XIV a fait un commentaire positif, qui m'a grandement soulagé. Les courtisans ont alors été contraints de me féliciter ! Ensuite, le succès de cette pièce ne s'est jamais démenti.

▶▶ *Les difficultés appartenaient donc définitivement au passé ?*

Malheureusement non. Je me suis brouillé avec Jean-Baptiste Lully, avec lequel j'ai pourtant beaucoup aimé travailler, et j'ai perdu la faveur du roi. Madeleine, qui m'a accompagné dans mes aventures théâtrales depuis le début, est morte en 1672. La maladie respiratoire, qui m'accablait depuis plusieurs années, s'est aggravée. En 1673, je suis pris d'un malaise à la fin de la quatrième représentation du *Malade imaginaire* et je suis mort quelques heures plus tard, chez moi. Le public, qui m'a donné tant de joies, m'a accompagné quand on m'a enterré de nuit, en signe de gratitude.

Contexte historique et culturel

❀ Un roi tout-puissant

À la mort de Louis XIII, en 1643, Louis XIV (1638-1715) n'est âgé que de cinq ans. Avec l'aide du cardinal Mazarin, Anne d'Autriche assure la régence. Durant cette période, la monarchie est en difficulté : le Parlement se révolte contre les impôts, toujours plus lourds, qui servent à financer les guerres de la France, puis la noblesse se rebelle lorsque le pouvoir s'attaque à ses privilèges. On a donné à cette révolte le nom de « Fronde ». En 1661, quand Louis XIV accède au trône, il comprend qu'il lui faut contrôler la noblesse. Il gouverne seul, s'entoure d'un petit nombre de conseillers fidèles et concentre entre ses mains les pouvoirs législatif, exécutif et judiciaire. Monarque « issu de droit divin », c'est-à-dire considéré comme le représentant de Dieu sur terre, il exerce un pouvoir absolu.

❀ Une société en pleine mutation

Au XVIIe siècle, la société est toujours hiérarchisée selon trois ordres : le clergé, la noblesse et le Tiers-État. Mais des évolutions sociales décisives sont en cours. La bourgeoisie, dont Monsieur Jourdain est un représentant, possède un pouvoir économique grandissant. Certains de ses membres, qui ont fait fortune grâce au commerce, désirent se faire anoblir et souhaitent accéder au pouvoir politique – pouvoir dont ils s'empareront un siècle plus tard, lors de la Révolution. Louis XIV, qui se méfie des nobles depuis la Fronde, favorise cet essor en leur permettant d'acheter, très cher, des titres de noblesse ou des charges permettant d'intégrer la noblesse dite « de robe ».

La noblesse traditionnelle, appelée noblesse « d'épée », a du mépris pour cette nouvelle noblesse de robe. Nobles de naissance, ils ne travaillent pas, dépensent beaucoup d'argent au jeu, participent aux guerres menées par le roi, et connaissent souvent des difficultés financières. Pour y faire face, ils en sont parfois réduits à emprunter à ces riches bourgeois, comme Dorante dans *Le Bourgeois gentilhomme*.

Anonyme, Molière interprétant *Le Bourgeois gentilhomme*,
gravure du XVIIe siècle.

❊ Les spectacles royaux

Louis XIV aime les arts, mais il sait aussi qu'ils participent à son rayonnement en France et dans le monde, et que les divertissements lui permettent de contrôler la cour. Il s'érige ainsi en protecteur des arts et finance de nombreux artistes. Dans ce contexte favorable, de grandes œuvres voient le jour. Au niveau littéraire, le XVIIe siècle est le grand siècle du théâtre, avec trois auteurs majeurs : Pierre Corneille (1606-1684), Molière (1622-1673) et Jean Racine (1639-1699).

Louis XIV installe la cour à Versailles en 1682. Le château qu'il y fait construire devient le symbole de sa puissance : l'architecte Louis Le Vau (1612-1670) l'agrandit, André Le Nôtre (1613-1700) en dessine les jardins, Charles Le Brun (1619-1690) le couvre de peintures. Le roi y organise des fêtes somptueuses pour lesquelles il fait appel aux plus célèbres artistes de son temps : Molière (1622-1673), Jean-Baptiste Lully (1632-1687). Jets d'eau, feux d'artifice, navires évoluant sur le Grand Canal, labyrinthes végétaux… tout y célèbre la grandeur du Roi-Soleil.

✤ La fascination pour l'Orient

Au XVIIe siècle, l'Empire ottoman s'étend de l'Algérie jusqu'à la Hongrie. Louis XIV adopte une attitude ambiguë vis-à-vis de ce puissant empire. Tout en entretenant avec lui des relations diplomatiques, pour des raisons stratégiques et commerciales, il lutte contre son expansion en le combattant activement. Quand, en 1669, les Ottomans envoient un émissaire, Louis XIV le reçoit avec tout le faste de la cour. Devant le mépris de Soliman Aga, Louis XIV décide de se venger symboliquement et commande à Molière une pièce qui tourne les Turcs en ridicule. Ce sera *Le Bourgeois gentilhomme*, créé en 1670.

Lointain et mal connu, l'Orient fascine la société française, qui se lance dans la mode des «turqueries» pour copier l'opulence, le raffinement et le faste des coutumes ottomanes. Il influence également de nombreux artistes, qui trouvent une source d'inspiration dans cet ailleurs exotique et mystérieux.

Repères chronologiques

1622	Naissance de Jean-Baptiste Poquelin, dit Molière.
1637	Pierre Corneille, *Le Cid* (tragi-comédie).
1643	**Mort de Louis XIII. Régence d'Anne d'Autriche.**
1643	Molière fonde l'Illustre-Théâtre avec les Béjart.
1646-1658	Molière parcourt la France avec sa troupe.
1648	**Révolte de La Fronde.**
1658	La troupe de Molière joue pour la première fois devant Louis XIV.
1659	Molière, *Les Précieuses ridicules* (comédie). Premier grand succès à Paris.
1661	**Mort de Mazarin. Début du règne personnel de Louis XIV.**
	Molière et sa troupe s'installent au théâtre du Palais-Royal.
1664	Molière, *Tartuffe* (comédie). Le roi fait interdire la pièce jusqu'en 1669.
1667	Jean Racine, *Andromaque* (tragédie).
1668	Jean de La Fontaine, premier recueil des *Fables* (poésie).
1669	**Visite de l'envoyé turc, Soliman Aga, à la cour de Louis XIV.**
1670	Molière, *Le Bourgeois gentilhomme* (comédie-ballet).
1673	Molière, *Le Malade imaginaire* (comédie-ballet).
	Mort de Molière.
1680	Création de la Comédie-Française.
1715	**Mort de Louis XIV.**

Les grands thèmes de l'œuvre

La critique sociale

Vanité et ambition sociale

Monsieur Jourdain est un riche bourgeois du XVIIᵉ siècle qui rêve de progresser dans la hiérarchie sociale, c'est-à-dire de rejoindre la noblesse : « moi, je ne vois rien de si beau que de hanter les grands seigneurs [...] et je voudrais qu'il m'eût coûté deux doigts de la main, et être né comte ou marquis » (p. 104). Dans sa naïveté, il s'efforce donc de copier « les gens de qualité » – s'habiller, donner des concerts et des ballets, maîtriser le beau langage comme eux – et ne regarde pas à la dépense pour y parvenir. Être ami avec un noble de naissance (Dorante), faire la cour à une marquise (Dorimène) et arranger le mariage de sa fille avec le fils du Grand Turc sont autant d'exemples de ses ambitions sociales. Ambitions que Dorante flatte en lui faisant miroiter l'espoir d'être reçu à la cour, et en prétendant parler régulièrement au roi en sa faveur...

Molière tourne en ridicule les prétentions de Monsieur Jourdain en transformant toutes les tentatives de son personnage en échecs. En effet, malgré tous ses efforts, Monsieur Jourdain reste un bourgeois : les bas de soie le gênent, il ne sait ni danser, ni manier l'épée, ni faire la révérence, ni tourner un compliment galant. Les leçons qu'il prend soulignent plutôt – par un contrepoint comique – l'ignorance du bourgeois que la véritable culture d'un honnête homme du XVIIᵉ siècle. Mais plus que les ambitions sociales d'un bourgeois, Molière dénonce le désir de devenir un autre. À ses yeux, tout cela n'est que vanité et folie, comme le constate Covielle à la fin de la pièce : « Si l'on en peut voir un plus fou, je l'irai dire à Rome » (p. 152).

Le règne du mensonge et de la flatterie

Le Bourgeois gentilhomme est également une satire de l'hypocrisie et du mensonge dans la société. Ainsi, les différents maîtres pratiquent le double jeu vis-à-vis de Monsieur Jourdain : en sa présence, ils font semblant d'admirer ses progrès ; dans son dos, ils se moquent de son ignorance et de ses maladresses. Cette hypocrisie, engendrée par le mépris et motivée par la cupidité, entraîne mensonges et flatteries. C'est le cas aussi des garçons tailleurs qui emploient le mot magique de « gentilhomme » pour obtenir un pourboire (acte II, scène 5) ou de Dorimène qui fait semblant de témoigner de l'estime à Monsieur Jourdain, alors qu'elle juge sa galanterie pesante et ridicule.

Cependant, le portrait à charge le plus sévère reste celui du noble Dorante, dont l'hypocrisie et la fausseté surpassent celles des autres. Tout en multipliant les témoignages d'affection, le comte trompe doublement la confiance de Monsieur Jourdain : en lui empruntant de l'argent qu'il ne compte pas lui rendre et en lui faisant croire qu'il facilite son rapprochement avec Dorimène alors qu'il agit pour son propre compte ! Tous ne sont pas dupes pourtant : ainsi, dès le début de la pièce, le maître de musique affirme que « ce bourgeois ignorant nous vaut mieux, comme vous voyez, que le grand seigneur éclairé qui nous a introduits ici » (p. 13). De son côté, Madame Jourdain prévient son époux que c'est « un enjôleux » et qu'« il ne sera pas content, qu'il ne vous ait ruiné » (p. 78). Bien que noble, Dorante trahit tous les idéaux de sa classe sociale et se révèle être un escroc.

Sincérité et contestation sociale

Certains personnages se font pourtant la voix de la sincérité et de la vérité dans la pièce en critiquant ouvertement les extravagances de Monsieur Jourdain. Par leur franchise, Lucile – la fille – et Nicole – la domestique – remettent en cause l'autorité du maître de la maison.

Cléonte, qui « trouve que toute imposture est indigne d'un honnête homme, et qu'il y a de la lâcheté [...] à se vouloir donner pour ce qu'on n'est pas » (p. 98-99), conteste aussi violemment les accommodements du bourgeois avec la vérité...

Plus que tous, Madame Jourdain incarne la lucidité et la franchise. Mais ses remarques de bon sens (face aux folies de son époux), ses avertissements (vis-à-vis de Dorante) ou ses combats (en faveur de Cléonte) se heurtent le plus souvent aux « Taisez-vous ! » impérieux de Monsieur Jourdain. Dans l'acte V, comprenant que Monsieur Jourdain est perdu dans ses illusions, elle se résout à entrer dans la mascarade finale car il n'y a plus d'autre moyen d'obtenir le mariage de Lucile et Cléonte.

Spectacle et rire

Un personnage ridicule

Monsieur Jourdain est celui qui, par sa grande naïveté, déclenche tous les rires. Ses costumes, qui traduisent la démesure de ses rêves de noblesse et relèvent plus du déguisement que du vêtement, sont un des principaux ressorts comiques.

La question du langage, qui est au cœur de la pièce, illustre bien le décalage qui existe entre les prétentions de Monsieur Jourdain et la réalité, et déclenche le rire du spectateur. La leçon d'orthographe est de ce point de vue exemplaire : l'ignorance et l'enthousiasme du bourgeois l'empêchent de comprendre que le maître de philosophie enchaîne les plates évidences, tandis que les jeux sur le langage se poursuivent jusqu'à l'absurde quand le maître maltraite la grammaire en jouant avec la phrase : « Mourir vos beaux yeux, belle Marquise, d'amour me font » (p. 46). Le comique de mots culmine lorsque Monsieur Jourdain essaie de reprendre à son compte les formules de la fausse langue turque, comme lorsqu'il salue Dorante en reprenant, de travers, l'expression de Cléonte déguisé (« je vous souhaite la force des serpents et la prudence des lions », p. 143).

La pièce est également riche en comique de gestes. Exagérément fier de son nouvel habit, Monsieur Jourdain accumule les maladresses comiques. Mauvais danseur, il ne se montre pas plus doué lorsque Nicole le défie au fleuret.

Mais, plus que tout, c'est la naïveté du bourgeois qui déclenche le rire du spectateur. Sa crédulité paraît sans limite vis-à-vis de ceux qui le flattent, qu'il s'agisse de Dorante lui demandant de l'argent ou de Covielle déguisé en messager du fils du Grand Turc. À force de prendre ses désirs pour des réalités, le personnage tombe peu à peu dans l'illusion et la folie. À la fin de la cérémonie turque, sa réflexion « Ah! voilà tout le monde raisonnable » (p. 151) fait de lui un pantin manipulé par tous. Cependant, sa générosité et son enthousiasme lui permettent de conserver la sympathie du spectateur.

La cérémonie turque, moteur du dénouement

Lucide, Covielle est celui qui parvient à dénouer l'intrigue grâce à la mascarade de la cérémonie turque qui va permettre le mariage de Cléonte avec Lucile. Montrant plus d'ingéniosité que son maître, il fait partie des valets inventifs et rusés qu'affectionne Molière. Avec astuce, il se sert des points faibles de Monsieur Jourdain pour rendre crédible l'invraisemblable histoire du fils du Grand Turc. Tel un double de Molière, il met en scène cette comédie, se déguise et joue un rôle important dans sa propre pièce, en annonçant l'arrivée d'un dignitaire turc à Monsieur Jourdain. C'est lui enfin qui assure le succès de la mascarade grâce à son aparté à Madame Jourdain.

La supercherie a opéré et les amoureux triomphent. Cependant, le dénouement de la pièce ne signe pas la victoire de la vérité sur le mensonge. Au contraire, Monsieur Jourdain reste seul et dans l'illusion: persuadé d'être désormais *Mamamouchi*, il croit l'avoir emporté sur les désirs de sa fille et pense que le mariage de Dorante avec Dorimène n'est qu'une « feinte » pour berner son épouse. Pourtant, la mascarade a comblé son rêve et l'a rendu heureux. À travers le « ballet des nations », la comédie-ballet clôt la pièce avec fantaisie, grâce à la magie du théâtre, de la musique et de la danse. Elle apporte une note joyeuse qui adoucit la solitude de Monsieur Jourdain, fait oublier les hypocrites et laisse le dernier mot à l'amour.

Fenêtres sur...

 Des ouvrages à lire

D'autres ambitieux chez Molière

• Molière, *Les Précieuses ridicules* [1659], Gallimard, «Folioplus classiques», 2009.
Gorgibus, un bourgeois, veut marier sa nièce et sa fille à deux jeunes gens de bonne famille. Mais les jeunes filles, qui ne rêvent que de prétendants illustres, les éconduisent. Vexés, ils décident de se venger et envoient leurs valets, déguisés en marquis, séduire les jeunes femmes. Cette courte pièce se moque des ambitions de ces jeunes prétentieuses.

• Molière, *Les Femmes savantes* [1672], Gallimard, «Folioplus classiques», 2012.
Henriette et Clitandre s'aiment et voudraient se marier. Mais il leur reste un obstacle: convaincre la mère d'Henriette, Philaminte, qui s'est passionnée pour la philosophie et le bel esprit, et veut que sa fille épouse le prétentieux Trissotin. Cette pièce s'interroge sur la condition des femmes tout en dénonçant l'imposture d'un pédant.

Une autre pièce mettant en scène un faux noble

• Eugène Labiche, *Le Baron de Fourchevif* [1859], Hachette livre-Bnf, 2013.
Monsieur et Madame Potard, bourgeois enrichis dans le commerce de la porcelaine, se font appeler Baron et Baronne depuis qu'ils ont acheté le domaine de Fourchevif. Soudain, arrive au château un peintre, qui déclare être le véritable descendant des De Fourchevif! Cette comédie en un acte critique avec humour les bourgeois qui se font passer pour ce qu'ils ne sont pas.

La vie et l'œuvre de Molière

• «Molière», dans *Virgule* n° 1, Faton, 2003.
Ce dossier illustré présente la vie de Molière, ainsi que le résumé de ses plus célèbres pièces.

• «*Le Bourgeois gentilhomme*», dans *Virgule* n° 44, Faton, 2007.
Ce dossier illustré présente le contexte historique et le résumé de la pièce. On y explique aussi la naissance de la comédie-ballet et l'ascension de la bourgeoisie au XVIIe siècle.

• Marie-Christine Helgerson, *Louison et Monsieur Molière*, Flammarion, «Flammarion jeunesse», 2010.
Louison, petite Lyonnaise de dix ans, est une fille de comédiens, passionnée de théâtre. Un jour, toute la famille déménage à Paris car les parents vont entrer dans la troupe de Molière. Louison va tout mettre en œuvre pour se faire remarquer par le grand auteur...

L'histoire du théâtre

• André Degaine, *Histoire du théâtre dessinée*, Nizet, 1992.
Un ouvrage très complet sur l'histoire du théâtre, des origines à nos jours, entièrement écrit et illustré à la main par l'auteur.

Fenêtres sur...

🎬 *Des mises en scène à voir*

(Toutes les œuvres citées ci-dessous sont disponibles en DVD.)

• **Mise en scène de Pierre Badel, avec Michel Serrault dans le rôle de Monsieur Jourdain, 1968.**
Dans ce film, Michel Serrault campe un Monsieur Jourdain enthousiaste et crédule.

• **Mise en scène de Jean-Louis Benoît, avec Michel Robin dans le rôle de Monsieur Jourdain, Comédie-Française, 2000.**
Dans la lignée de la Comédie-Française, une mise en scène classique et accessible de la pièce.

• **Mise en scène de Benjamin Lazar, avec Olivier Martin Salvan dans le rôle de Monsieur Jourdain, opéra royal du château de Versailles, 2005.**
Cette mise en scène reprend la prononciation du XVIIe siècle, la musique originale de Lully et l'éclairage à la bougie. Un résultat de grande qualité qui nous rapproche des spectacles du vivant de Molière.

🏛 *Des œuvres d'art à découvrir*

(Toutes les œuvres citées ci-dessous peuvent être vues sur Internet.)

• **Edmond Geffroy, *Molière et les caractères de ses comédies*, huile sur toile, 1857, Paris, Comédie-Française.**
Ce tableau présente Molière contemplant les principaux personnages de ses comédies. On reconnaît Monsieur Jourdain, presque au centre avec son chapeau à plume et sa veste rouges, ainsi que Madame Jourdain et Nicole, en haut de l'escalier de droite, et les différents maîtres en haut, près du temple.

• Jean-Auguste-Dominique Ingres, *Louis XIV et Molière déjeunant à Versailles*, huile sur toile, 1857, Paris, Comédie-Française.
Ce tableau représente Molière à la table du roi Louis XIV. On raconte que le roi aurait invité Molière pour contrer le mépris que certains, à la cour, montraient à son égard.

• Rembrandt, *Portrait de l'artiste en costume oriental*, 1631, Paris, Petit-Palais.
Cet autoportrait du grand peintre hollandais Rembrandt le présente vêtu à l'orientale et coiffé d'un turban.

• Louis Visconti, Fontaine Molière, 1884, Paris.
Cette fontaine, située à l'angle de la rue Molière et de la rue Richelieu, a été élevée en l'honneur de Molière, décédé au n° 40 de la rue Richelieu. Elle comporte une belle statue en bronze du dramaturge, réalisée par le sculpteur Bernard Seurre.

@ Des sites Internet à consulter

Sur Molière

• www.toutmoliere. net
Un site très complet sur la vie et l'œuvre de Molière, avec des commentaires et des résumés de pièces.

• www.comedie-francaise.fr
Grâce à ce site, visitez la Comédie-Française et consultez des informations sur l'histoire du théâtre et sur la vie de Molière.

Sur *Le Bourgeois gentilhomme*

• www.voyagesimaginaires.fr
Ce site présente la mise en scène originale de Philippe Car, en 2009. On peut y comprendre la démarche du metteur en scène, qui s'est inspiré du théâtre japonais et de l'art de la marionnette, et y découvrir de nombreuses photographies du spectacle.

Fenêtres sur...

• **www.ina.fr**

Ce site permet de voir, dans la vidéo «Le Bourgeois gentilhomme, c'est de la prose», un extrait de la leçon d'orthographe dans la mise en scène de Jean-Luc Boutté, ainsi qu'une interview de Roland Bertin qui interprète Monsieur Jourdain. Le comédien expose sa conception d'un bourgeois gentilhomme semblable à un grand enfant, gourmand de la vie.

Sur l'Orient

• **http://expositions.bnf.fr/veo/**

Cette exposition virtuelle explique la fascination des Occidentaux pour l'Orient et ses évolutions à travers l'Histoire. L'onglet «En images» permet de visionner de nombreuses photographies et l'onglet «L'Orient des écrivains» de découvrir comment cette fascination s'est traduite dans la littérature occidentale.

Fenêtres sur...

Notes

Notes

Notes

Dans la même collection

CLASSICOCOLLÈGE

Homère – *L'Odyssée* (14)
Victor Hugo – *Claude Gueux* (6)
Victor Hugo – *Les Misérables* (110)
Joseph Kessel – *Le Lion* (38)
Rudyard Kipling – *Le Livre de la Jungle* (133)
Jean de La Fontaine – *Fables* (74)
J.M.G. Le Clézio – *Mondo et trois autres histoires* (34)
Mme Leprince de Beaumont – *La Belle et la Bête* (140)
Jack London – *L'Appel de la forêt* (30)
Guy de Maupassant – *Histoire vraie et autres nouvelles* (7)
Guy de Maupassant – *Le Horla* (54)
Guy de Maupassant – *Nouvelles réalistes* (97)
Prosper Mérimée – *Mateo Falcone et La Vénus d'Ille* (8)
Marivaux – *L'Île des esclaves* (139)
Molière – *L'Avare* (51)
Molière – *Le Bourgeois gentilhomme* (62)
Molière – *Les Fourberies de Scapin* (9)
Molière – *George Dandin* (115)
Molière – *Le Malade imaginaire* (42)
Molière – *Le Médecin malgré lui* (13)
Molière – *Le Médecin volant et L'Amour médecin* (52)
Jean Molla – *Sobibor* (32)
George Orwell – *La Ferme des animaux* (130)
Ovide – *Les Métamorphoses* (37)
Charles Perrault – *Contes* (15)
Edgar Allan Poe – *Trois nouvelles extraordinaires* (16)
Jules Romains – *Knock ou le Triomphe de la médecine* (10)
Edmond Rostand – *Cyrano de Bergerac* (58)
Antoine de Saint-Exupéry – *Lettre à un otage* (11)
William Shakespeare – *Roméo et Juliette* (70)
Sophocle – *Antigone* (81)
John Steinbeck – *Des souris et des hommes* (100)
Robert Louis Stevenson – *L'Île au Trésor* (95)
Jean Tardieu – *Quatre courtes pièces* (63)
Michel Tournier – *Vendredi ou la Vie sauvage* (69)
Fred Uhlman – *L'Ami retrouvé* (80)
Paul Verlaine – *Romances sans paroles* (12)
Anne Wiazemsky – *Mon enfant de Berlin* (98)
Émile Zola – *Au Bonheur des Dames* (128)

CLASSICOLYCÉE

Pour obtenir plus d'informations, bénéficier d'offres spéciales enseignants ou nous communiquer vos attentes, renseignez-vous sur **www.collection-classico.com** ou envoyez un courriel à **contact.classico@editions-belin.fr**

Cet ouvrage a été composé par Palimpseste à Paris.
Iconographie : Any-Claude Médioni.

Imprimé en Espagne par Novoprint (Barcelone)
Dépôt légal : août 2015 – N° d'édition : 70119227-03/juillet17